中小型水电站金属结构及机电设备
制造安装检测实用技术

主　编　史国超

主　审　龙振球

副主编　范存善　刘高攀　谢俊国

黄河水利出版社

内 容 提 要

本书依据国家有关标准和部颁规范规程，并结合工程特点和实践经验，总结了中小型水电站工程的金属结构及机电设备制造安装的质量检查检验项目、标准和方法。全书层次清晰、内容翔实、文字通俗，各项检验项目、标准和方法简单明了，并具有较强的可操作性，是从事中小型水电站工程设计、施工、监理、质量监督和管理等人员的一部工具参考书。

图书在版编目（CIP）数据

中小型水电站金属结构及机电设备制造安装检测实用技术／史国超主编. —郑州：黄河水利出版社，2006.8
ISBN 7-80734-088-6

Ⅰ.中⋯　Ⅱ.史⋯　Ⅲ.①水力发电站–金属结构–质量检验　②水力发电站–机电设备–质量检验
Ⅳ.TV734

中国版本图书馆 CIP 数据核字（2006）第 071659 号

出　版　社:黄河水利出版社
　　　　地址:河南省郑州市金水路 11 号　　　邮政编码:450003
发行单位:黄河水利出版社
　　　发行部电话: 0371-66026940　　　传真: 0371-66022620
　　　E-mail: hhslcbs@126.com
承印单位:黄河水利委员会印刷厂
开本:787 mm×1 092 mm　1/16
印张:10.75
字数:245 千字　　　　　　　　　　　　印数:1—2 000
版次:2006 年 8 月第 1 版　　　　　　　印次:2006 年 8 月第 1 次印刷

书号:ISBN 7-80734-088-6 / TV·466　　　　　　　定价:25.00 元

前　言

　　近几年，随着水利水电工程的不断发展，中小型水电站的施工经验不断得到总结，相应地，其施工技术水平也得到不断提高。本书结合国内中小型水电站工程建设实际，为确保工程质量，将各种施工检验项目、标准和检验方法、检验工具，系统地归纳在一起而编写了此书，力图满足从事中小型水电站设计、施工、监理、质量监督和管理等技术管理人员的使用需要。

　　本书强调适应实际需要，突出检查项目、标准和检验工具方法的基本原则，兼顾应用操作能力和实用，故具有科学性、先进性、实用性和适用性及可操作性的特点。书中内容完全符合国家和部颁有关新标准、规范规程的要求，是一部难得的工具书，相信本书的出版会对中小型水电站施工技术人员提供有益的帮助。

编　者

2006 年 7 月

目　录

第一章 压力钢管制造安装检测技术

压力钢管制造和安装的质量控制依据如下：

(1)《压力钢管制造安装及验收规范》(DL5017—93)。

(2)原水利部、电力工业部颁发的《水工建筑物金属结构制造、安装及验收规范》(SLJ201—80、DLJ201—80)。

(3)其他现行有关国家标准和部颁标准。

第一节 压力钢管制造检查项目和标准

一、一般规定

(1)制造前应对钢管、伸缩节和岔管的各项尺寸进行认真研究和熟悉、了解，并按照现行有关规范和设计图纸规定执行。

(2)钢管、伸缩节和岔管的防腐工作，除焊缝两侧外，均应在安装前全部完成，如设计另有规定，则应按设计要求执行。

(3)制造前应具备的技术资料、材质证明、焊接和探伤人员的资格评定、焊接工艺试验，制造时采用的工艺措施、量具仪器以及竣工后交接验收应提供的资料均应符合现行有关规范和设计规定。施工单位、监理单位应按现行有关规范进行全面检查，并做好记录。

(4)制作钢管的材料(包括焊接材料)必须符合设计图纸规定，其性能应符合现行有关规范规定，并具有出厂合格证，如无出厂合格证或标号不清楚应予复验，复验合格后方可使用。

二、具体要求

(1)压力钢管制造检查项目、检验工具及位置见表 1-1。

表 1-1 压力钢管制造检查项目、检验工具及位置

项次	项目	检验工具	检验位置	备注
1	瓦片与样板间隙	钢管内径小于或等于 2 m，用弦长为 0.5D(且不小于 500 mm)样板；钢管内径大于 2 m 小于 6 m，用弦长为 1.0 m 样板；钢管内径大于 6 m，用弦长为 1.5 m 样板	卷板后，瓦片以自由状态立于平台上，在瓦片上、中、下 3 个断面上测量	D 为钢管内径
2	实际周长与设计周长差	钢尺		m 为周长
3	相邻管节周长差	钢尺	通过两节管口实测值计算而得	

项次	项目	检验工具	检验位置	备注
4	钢管管口平面度	线绳和塞尺或钢板尺		
5	纵缝焊后变形	用弦长为 $D/10$ 样板，且不小于 500 mm，不大于 800 mm	上下两端管口	D 为钢管内径
6	钢管圆度	钢尺	在两端管口至少测 2 对直径；圆度为相互垂直的两直径差	
7	支承环或加劲环与管壁的铅垂度	钢尺或钢板尺		每圆周测 8 点
8	支承环或加劲环所组成的平面与管轴线的铅垂度	钢尺或钢板尺		每圆周测 8 点
9	相邻两环的间距 c	钢尺或钢板尺		每圆周测 8 点

(2)表面清除及局部凹坑焊补要求见表 1-2。

表 1-2　表面清除及局部凹坑焊补要求

项次	项目	质量标准		检验工具	检验位置
		合格	优良		
1	表面清除	内壁上临时支撑割除和焊疤清除	内壁上临时支撑割除和焊疤清除干净并磨光	肉眼检查	全部表面
2	局部凹坑焊补	凡凹坑深度大于板厚10%或大于 2 mm 应焊补	凡凹坑深度大于板厚 10%或大于 2 mm 应焊补并磨光	肉眼检查	全部表面

(3)防腐表面处理应符合表 1-3 的要求。

表 1-3　防腐表面处理要求

项次	项目	质量标准		检验工具	检验位置	备注
		合格	优良			
1	钢管壁防腐蚀表面处理	管壁用压缩空气喷砂或喷丸除锈，彻底清除铁锈、氧化皮、焊渣、油污、灰尘、水分等，使之露出灰白色金属光泽。内壁涂料涂装层数，每层厚度间隔时间和注意事项均按设计要求和厂家说明书规定进行，经外观检查涂层均匀、表面光滑、颜色一致，无皱皮、脱皮、气泡、挂流、漏刷等缺陷	管壁用压缩空气喷砂或喷丸除锈，使表面清洁度达到DL5017—93《压力钢管制安及验收规范》中Sa2½标准，表面粗糙度为40～70 μm。管壁涂料涂装表面质量达到合格标准。涂层厚度符合设计要求。无针孔，用刀刮检查涂层黏附力，应不易剥离	合格标准：用肉眼检查。优良标准：除用肉眼检查外，清洁度应用标准图片或使用5倍放大镜检查，粗糙度用模板对照检查。涂层厚度用电磁或磁力测厚计检测。针孔用针孔探测器检测。黏附力检查用刀在涂层上划一个"十"字形裂口，顺口边缘撕裂	焊缝两侧	焊缝两侧如限于条件也可用砂轮作为表面处理手段

(4)焊缝外观检查项目、检验位置、工具见表 1-4。

表 1-4　焊缝外观检查项目、检验位置、工具

项次	项目	检验工具	检验位置	备注
1	裂纹、夹渣	肉眼检查,必要时用5倍放大镜检查	沿焊缝和长度	
2	咬边			
3	焊缝余高Δh	钢板尺或焊接检验规		δ为板厚
4	焊缝宽度			
5	角焊缝尺寸	钢板尺或焊接检验规		K为焊脚点
6	表面气孔	肉眼检查,必要时用5倍放大镜检查		优点焊缝不允许表面有气孔

(5)一、二类焊缝及局部凹坑焊补要求见表 1-5。

表 1-5　一、二类焊缝及局部凹坑焊补要求

钢种	板厚(mm)	射线探伤(%)		超声波探伤(%)	
		一类	二类	一类	二类
碳素钢	≥38	20	10	100	50
	<38	15	8	50	30
低合金钢	≥32	25	10	100	50
	<32	20	10	50	30
高强钢	任意厚度	40	20	100	50

(6)压力钢管圆度要求、检测工具、位置见表1-6。

表1-6 压力钢管圆度要求、检测工具、位置

项次	项目	允许偏差(mm)		检测工具	检测位置	备注
		合格	优良			
△1	钢管圆度	$\dfrac{5D}{1000}$	$\dfrac{4D}{1000}$	钢尺	在上端或下端管口至少测两对直径,圆度为相互垂直的两直径差	D 为钢管内径

注：△表示主要检查项目,下同。

(7)钢管伸缩节制造标准、检测工具、位置见表1-7。

表1-7 钢管伸缩节制造标准、检测工具、位置

项次	项目	允许偏差(mm)				检测工具	检测位置
		合格		优良			
1	内外套管、止水压环瓦片和样板	1		1		钢管内径小于或等于 2 m,用弦长为 0.5 D(且不小于 500 mm)样板;钢管内径大于 2 m 小于 6 m,用弦长为 1.0 m 样板;钢管内径大于 6 m,用弦长为 1.5 m 样板	卷板后,瓦片以自由状态立于平台上,在瓦片上、中、下 3 个断面上测量
△2	内外套管、止水压环实际周长和设计周长差	±3D/1 000		±2.5D/1 000		钢尺	
△3	相邻管节、周长差	$\delta<106$ $\delta\geqslant 1\,010$		6 8		钢尺	通过两节管口实测值计算而得
△4	内外套管、止水压环纵缝对口错位	小于或等于板厚 10%,且不大于 2;当板厚小于或等于 10 时小于等于 1		小于或等于板厚 5%,且不大于 2;当板厚小于或等于 20 时为 1		钢尺	
△5	内外套管、止水压环管口平面度	$D\leqslant 5$ m	$D>5$ m	$D\leqslant 5$ m	$D>5$ m	线绳、塞尺或钢板尺	
		2.0	3.0	1.5	2.0		
6	焊缝外观检查	无气泡、流渣、缺口、漏焊				肉眼检查	
△7	一、二类焊缝内部焊接检查	无气泡、流渣、缺口、漏焊				肉眼检查煤油试验超声波检查	焊缝
△8	内外套管、止水环纵缝焊后变形	2		1.5		用弦长为 D/10 样板且不小于 500 mm 不大于 800 mm	上下两端管口
△9	内外套管、止水环的实测直径与设计直径	± D/1 000 且不超过 ±2.5		± D/1 000 且不超过 ±2.5		钢尺测量	至少测 4 对直径

项次	项目	允许偏差(mm)		检测工具	检测位置
		合格	优良		
10	内外套管间的最大和最小间隙与平均间隙差	不大于平均间隙的10%	不大于平均间隙的8%	钢板尺	沿周围选择不同间隙测量
11	实测伸缩行程与设计行程差	±4	±4	钢板尺	圆周测8点
12	内外套管、止水压环管壁表面清除和局部凹坑焊补	内外壁上安装无用的支撑，夹具和焊疤清除干净，内外壁上深度大于板厚10%或大于2mm的凹坑应焊补	内外壁上安装无用的支撑、夹具和焊疤清除干净，内外壁上深度大于板厚10%或大于2mm的凹坑应焊补磨光	肉眼观测、焊缝检验尺	局部凹坑焊补处
13	内外套管、止水压环内外管壁防腐蚀表面处理	内管壁用压缩空气喷砂或喷丸，彻底清除铁锈、氧化皮等，表面干净，露出白色金属光泽	表面处理量达到Sa2½标准，表面粗糙度40～70μm	肉眼检查、标准图片样板对照	内、外套管
14	内外套管、止水压环内外管壁防腐蚀涂料涂装	层数、厚度、时间符合规范	层数、厚度、时间符合规范，黏附力好	用测厚仪、刮刀检测	内、外套管

(8)压力钢管岔管制造项目、检测工具、位置见表 1-8。

岔管水压试验：岔管应做水压试验，如首次使用新钢制造的岔管、新型结构的岔管、高水头岔管、高强钢制造的岔管。一般常用岔管是否需做水压试验按设计规定执行。

水压试验基本规定：水压试验的试验压力值应按图样或设计技术规定执行。明管或岔管试压时，应缓缓升压至工作压力，保持 10 min，对钢管进行检查；情况正常，继续升到试验压力，保持 5 min，再下降至工作压力，保持 30 min，并用 0.5～1.0 kg 小锤在焊缝两侧各 15～20 mm 处轻轻敲击，整个试验过程中应无渗水和其他异常情况。

表 1-8 压力钢管岔管制造标准、检测工具、位置

项次	项目	允许偏差(mm)						检测工具	检测位置方法
		合格			优良				
1	岔管瓦片与样板间隙	$D\leq2$	$D\leq5$	$D>5$	$D\leq2$	$D\leq5$	$D>5$		始装节在上、下游管口测量，其余管节管口中心测一端管口
		1.5	2.0	2.5	1.0	1.5	2.0		
2	相邻管节周长差	$\delta<10$，≤6 $\delta<10$，≤10			$\delta<10$，<6 $\delta\geq10$，≤8			钢尺、钢板尺、垂球激光指向仪测量	
△3	纵、环缝对口错位								
4	焊缝外观检查	质量标准见表 1-4							
△5	一、二类焊缝内部焊接质量检查							钢尺	在两端管口至少测 2 对直径、圆度为相互垂直的两直径差
△6	纵缝焊后变形	4.0			4.0			肉眼及焊缝检验尺	纵缝对口部位
△7	与主、支管相邻的岔管管口圆度	$5D/1\,000$ 且不大于 30			$4D/1\,000$ 且不大于 30			肉眼及焊缝检验尺	环缝对口部位
8	与主、支管相邻的岔管管口中心偏差	5			4			钢尺、垂球、钢板尺、水准仪、经纬仪	
9	岔管内、外管壁表面清除和局部凹坑焊补							肉眼检查	全部表面
10	岔管管壁防腐蚀表面处理	除锈彻底，表面干净，露出灰白和金属光泽			表面处理达 Sa2½ 标准，表面粗糙度 40 ~ 70 μm，表面处理达 Sa2½、粗糙度 50 ~ 70 μm			同钢管	同埋管
11	岔管管壁防腐蚀涂料涂装	涂装符合厂家或设计规定，外观良好			涂层厚度、质量符合设计规范要求			同钢管	同埋管
△12	水压试验	无渗水及其他异常现象			无渗水及其他异常现象			0.5 ~ 1.0 kg 小锤	在焊缝两侧各 15 ~ 20 mm 处，用小锤轻轻敲打

第二节　压力钢管安装检测技术

一、一般规定

(1)埋管管口中心和里程应符合表 1-9 的要求。其中其他部位管节的管口中心应控制在合格范围内，但不宜用切割坡口的办法来调整中心，以免影响焊接质量，故允许个别管节的中心略有超差。在以后安装管节时，再设法调整至合格范围。

(2)明管安装时明管管口中心和里程应符合表 1-10 的要求。其中其他部位管节的管口中心应控制在合格范围内，但不宜用切割坡口的办法来调整中心，以免影响焊接质量，故允许个别管节的中心略有超差。在以后安装时，再设计调整至合格范围。

(3)安装前应对钢管、伸缩节和岔管的各项尺寸进行复测，符合设计图纸规定。

(4)安装后钢管应与支墩和锚焊牢，以防止浇混凝土时发生位移。

二、具体要求

(1)埋管安装检测项目、标准、检验工具、检验位置见表1-9。

表 1-9　埋管安装检测项目、标准、检验工具、检验位置

项次	项目	允许偏差(mm)						检验工具	检验位置
		合格			优良				
		钢管内径 D(m)			钢管内径 D(m)				
		$D \leqslant 3$	$3 < D \leqslant 6$	$D > 6$	$D \leqslant 3$	$3 < D \leqslant 6$	$D > 3$		
△1	始装节管口里程	±5	±5	±5	±4	±4	±4	钢尺、钢板尺、垂球或激光指向仪	始装节在上、下钢管口测量，其余管节管口中心只测一端管口
△2	始装节管口中心	5	5	5	4	4	4		
3	与蜗壳、蝴蝶阀、球阀、岔管连接的管节及弯管起的管口中心	6	10	12	6	10	12		
4	其他部位节点的管口中心	15	25	30	10	20	25		

(2)灌浆孔堵焊标准、检验工具、位置见表1-10。

表 1-10　灌浆孔堵焊标准、检验工具、位置

项次	项目	质量标准	检验工具	检验位置
1	灌浆孔堵焊	堵焊后表面平整，无渗水现象	用肉眼检查或5倍放大镜检查	全部灌浆孔

(3)明管内、外壁防腐蚀涂料涂装标准、检验工具和方法、位置见表1-11。

表 1-11　明管内、外壁防腐蚀涂料涂装标准、检验工具、方法、位置

项次	项目	质量标准		检查工具方法	检验位置
		合格	优良		
1	明管内、外涂料涂装	内、外管壁涂料涂装的层数、每层厚度、间隔时间均按设计要求和厂家说明书规定进行；经外观检查，涂层均匀、表面光滑、颜色一致，无皱皮、脱皮、气泡、挂流、漏刷等缺陷	内、外管壁涂料涂装表面质量达到合格标准；深层厚度符合设计要求，无针孔，用刀划检查涂层黏附力，应不易剥离	用 5 倍放大镜检查或外观用肉眼检查；深层厚度用电磁或电磁测厚计检测；针孔用针孔探测器检测；黏附力检查用刀在涂层上划一个十字形裂口	安装焊缝两侧

(4)明管内、外壁防腐蚀的表面处理要求标准、检测工具、位置见表 1-12。

表 1-12　明管内、外壁防腐蚀表面处理标准、检测工具、位置

项次	项目	质量标准		检测工具	检查位置	备注
		合格	优良			
1	明壁内、外壁防腐表面处理	内、外管壁用压缩空气喷砂或喷丸除锈，彻底消除铁锈、氧化皮、焊渣、油污、灰尘、水分等，使之露出灰白色金属光泽	内、外管壁用压缩空气喷砂或喷丸除锈，使表面清洁度达到《压力钢管制造安装及验收规范》(DL5017—93)中 Sa2½标准，表面粗糙率为 60～70 μm	合格标准用肉眼检查；优良标准除用肉眼检查外，清洁度标准图片粗糙度应用样板对照检查	安装焊缝两侧	焊缝两侧如限于条件也可用砂轮作为表面处理手段

(5)明管安装标准、检验工具、位置见表 1-13。

表 1-13　明管安装标准、检验工具、位置

项次	项目	允许偏差(mm)						检测工具	检测位置
		合格			优良				
		钢管内径 D(m)			钢管内径 D(m)				
		$D \leq 3$	$3 < D \leq 6$	$D > 6$	$D < 3$	$3 < D \leq 6$	$D > 6$		
△1	始装节管口里程	±5	±5	±5	±4	±4	±4	钢板尺、钢尺、垂球或激光指向仪、水平仪、经纬仪	始节在上、下游管口测定；其余管节管口中心只测一端管口
△2	始装节管口中心	5	5	5	4	4	4		
3	与蜗壳、蝴蝶阀、岔管连接的管节及弯管起管口中心	6	10	12	6	10	12		
4	其他部位的管节管口中心	15	20	25	10	15	20		

(6)明管支座中心、高程、弧度和间隙的标准、检验工具见表1-14。

表1-14 明管支座中心、高程、弧度和间隙的标准、检验工具

| 项次 | 项目 | 允许偏差(mm) | | 检验工具 |
		合格	优良	
1	鞍式支座顶面弧度和样板间隙	2	2	用样板检查
2	滚动支座或摆动支座的支墩板高程和纵横中心	±5	±4	水准仪和经纬仪
3	与钢管设计轴线的平行度	2 mm/m	2 mm/m	
4	各接触面的局部间隙	0.5	0.5	塞尺

第三节 钢管焊缝的无损探伤方法与水压试验

一、使用X射线机探伤检测

X射线机是一种高压、精密、贵重设备，正确使用和及时维护可以延长其使用寿命，提高工作效率。使用X射线机时应注意以下几点：

(1)使用前应检查所使用的电源是否正确，单相220 V、3 kW以上的供电配置，电源线接牢在对应的闸刀上，接好地线。

(2)使用前应检查射线发生器上气压表的气压是否在正常范围(0.35~0.5 MPa)。若气压低于0.35 MPa，表明机头漏气，内部绝缘达不到要求，继续使用极易击穿高压包。

(3)通上电源后应检查机头上轴流风机是否工作。若轴流风机不工作，热量不能及时散去，容易损坏X射线管。

(4)对长期没有使用的X射线机，一定要按说明书严格预热后方可使用。使用多高的电压就调到多高的电压值，没有必要每次都调(即预热)至满负荷。

(5)建议按1：1的工作方式去工作(即曝光时间与间隙时间之比为1：1)。

(6)若频繁烧保险，说明设备已出故障，切勿用其他导线代替保险丝，以免使故障扩大，造成更大的损失。

(7)现场电源电压不稳，应配备5 kW以上的交流稳压电源。因射线机内部均没有电源稳压电路，电源电压波动大，易损坏X射线机。

(8)在运行过程中，一定要使射线发生器垂直放置，尤其是玻璃管X射线机。

(9)X射线机是一种计量器具，按照标准要求，每两年应到技术监督部门校验一次。

二、焊缝透照常规工艺

(一)平板对焊缝透照工艺

平板对焊缝是最简单的焊缝试件，钢管的筒体纵缝、焊接试板以及封头板拼缝都属

此类形式。透照方式：只有单壁透照一种方法，焦距按照标准规定，同时考虑到几何不清晰度和一次透照长度的要求。

管电压：小于标准要求的最高管电压，通常根据曝光曲线选定。曝光量一般不小于标准推荐值，具体数值根据试件厚度查曝光曲线选定。

一次透照长度：根据标准中的 K 值计算允许的一次透照长度，然后结合试件和设备器材情况确定具体数值。

胶片尺寸：胶片长度为一次透照长度加搭接长度，再加适当余量，胶片宽度为规格化正常尺寸。

(二)环缝透照工艺

环缝透照的透照方式比平板对接焊接复杂一些，要点简述如下。

透照方式：环缝的透照方式有多种选择，一般说来，单壁和双壁透照之间应优先选择单壁透照，无法实施单壁透明时采用双壁透照。源的放置应优先选择源在内的透照方式，这样布置透照厚度比较小，横裂检出角较小，一次透照长度较大，但有时因工件和设备原因，只能选择源在外的透照方式。

焦距：焦距 F 与试件半径 R 越接近越好，这样 K 值和 θ 角较小。当然实际透照时，选择焦距并不仅要考虑 K 值和 θ 角，一次透照长度还必须同时考虑几何不清晰度等其他因素。

三、γ 射线探伤机的操作及维护

γ 射线机虽然操作比较简单，但操作失误所引起的后果严重，故必须十分小心地进行操作。

(1)γ 射线机的操作者必须经过培训，取得《放射工作人员证》方能上岗操作。

(2)操作者应携带 γ 射线监测仪或个人剂量报警器，并确认其工作正常。

(3)γ 射线机的操作应采用双人工作制，一人操作，一人确认，做到万无一失。

(4)γ 射线机的操作者应详细阅读设备的操作使用说明书，严格按说明书要求的程序去操作。

(5)γ 射线机一般很少出现故障，若在使用中发现有问题时，应首先检查是否严格按操作程序进行操作，并检查是否操作到位。如确认存在故障应尽快通知厂家进行处理。

四、探头扫查方法

(一)探头操作方法

探头与工件表面接触不良会影响超声波的反射和接收，使探伤结果不正确。为使探头接触良好，应将探头摆正，并加适当的力(10~20 N)按住探头。

手工探伤时，探头的操作方法因探头形状、大小不同而不同。虽然没有统一的操作方法，但必须熟练运用单手持探头进行探伤。

基本操作方法如下：

(1)一般探头用拇指、食指夹持，大尺寸探头可用拇指、食指和中指夹持，斜探头也可用拇指和中指夹持，食指按在探头上部。

(2)其余手指可轻轻放在工件表面，辅助探头缓慢移动，增加探头移动时的稳定性。

(3)工件表面不宜施加过多的耦合剂。

(二)探头扫查方法

在超声波探伤时，探伤面上的探头与工件的相对运动称为扫查。在探伤中探头在探伤面上应按一定方式及运动轨迹缓慢移动。探头扫查方式有以下几种。

1. 前后扫查

探头在工件表面沿一定方向前后移动，并同时缓慢地向左(或向右)移动探头，探头运动轨迹呈锯齿形(或方齿形)。探头每前后移动一次，向右(或向左)移动的距离(d)不得超过探头在同一方向上的晶片尺寸，并保证每次移动有 10% ~ 20%的覆盖区域。前后扫查主要应用于探伤时搜索工作材料中的缺陷，适用于直、斜探头。但使用斜探头时，探头前后移动的同时应向左右摆动，摆动角度为 10°左右，如图 1-1 所示。

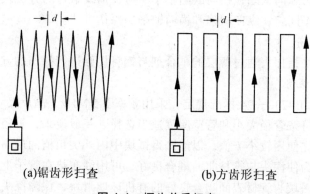

(a)锯齿形扫查　　　　　　　(b)方齿形扫查

图 1-1　探头前后扫查

2. 左右扫查

探头在工件表面保持前后位置不变，而仅向左、右移动探头，在扫查过程中探头沿某一方向保持固定距离，在另一方向上平行移动，这种扫查方法主要应用于当使用前后扫查发现缺陷后，测定缺陷区域的尺寸，适用于直、斜探头(见图 1-2)。

3. 转角扫查

使用斜探头进行超声波探伤时，发现缺陷后为了区别缺陷形状、方向及大小，以探头中心为支点，做左右转角扫查。探头在转角扫查时，不得前后、左右移动(见图 1-3)。

4. 环绕扫查

在使用斜探头探伤时，发现缺陷后为了区分缺陷形状、方向及大小，以缺陷为圆心，探头与缺陷保持一定距离做圆形轨迹的扫查(见图 1-4)。

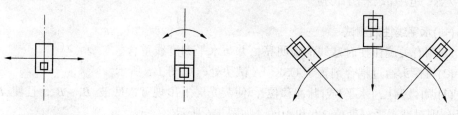

图 1-2　探头左右扫查　　图 1-3　探头转角扫查　　图 1-4　探头环绕扫查

五、管材探伤方法

管材探伤方法与其几何尺寸、缺陷在管壁中的分布走向、对管材的级别要求、探测的批量大小等有关。一般来讲,批量大的采用水浸聚焦法,批量小的采用直接接触法,平行于管轴线的周向缺陷采用纵波探伤法,纵向和横向缺陷采用横波探伤法。

管材探伤的基本方法如下:

(1)纵向缺陷采用直接接触法或水浸聚焦法探伤。

(2)横向缺陷采用横波直接接触法探伤。

(3)与管轴线平行的周向缺陷采用纵波单直探头或纵波双直探头直接接触法探伤。

小口径管材探伤:小口径钢管包括薄壁不锈钢管(指外径小于 100mm 的钢管),小口径管材主要缺陷为纵向缺陷,横向缺陷较小,与管轴线平行的分层缺陷一般不做检测。现按耦合方式的不同叙述纵向缺陷和横向缺陷的探伤方法。

(一)接触法探伤

接触法探伤是指探头通过薄层的耦合剂与钢管接触进行探伤的方法。

1. 纵向缺陷探伤

即探头按照 JB4730—94 标准规定,采用频率 2.5 MHz、晶片尺寸大于 25 mm 的斜探头。探头 k 值可按管径大小和管壁厚度适当选择。一般说来,管径较小管壁较薄时使用较大 k 值,反之使用较小 k 值,以能测得试块中内外尖角槽的最高回波,且两波高差值最小时为准。为使探头与管材曲面耦合良好,可用纱布垫在管子上修磨探头楔块,或在探头底面粘上一块与管材表面吻合良好的有机玻璃滑块,保障探头与管子耦合良好和扫查操作的稳定性。试块按 JB4730—94 标准规定。

2. 横向缺陷探伤

探头:选用频率 2.5 ~ 5.0 MHz、晶片尺寸不大于 25 mm 的斜探头。为使探头与管子吻合良好,探头楔块应修磨。

试块:探测横向缺陷用对比试块,按 JB4730—94 标准规定。

(二)水浸法探伤

小口径管水浸法探伤属自动化或半自动化探伤,检测效率高,劳动强度小,适用于批量大的管材探伤,但其整体结构比较复杂,价格较高。小口径管水浸探伤纵向缺陷是将水浸纵波探头放在水中,利用纵波倾斜入射到水/钢界面,当入射角 α 在 $\alpha_1 \sim \alpha_{II}$ 之间时,可在管壁中实现纯横波探伤。

六、超声波探伤试验

(一)水平线性的测试

(1)调有关旋钮使时基线清晰明亮,并与水平刻度线重合。

(2)将探头通过耦合剂置于 CSK–IA 试块处,如图 1-5 所示。

(3)调[微调]、[水平]或[脉冲移位],使荧光屏上出现五次底波 $B_1 \sim B_5$,且使 $B_1 \sim B_5$ 前沿分别对准水平刻度值 2.0 和 10.0,如图 1-6 所示。

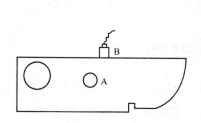

图 1-5　水平、垂直线性的测试

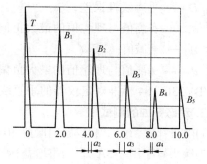

图 1-6　水平线性测试波形

(4)观察记录 B_2、B_3、B_4 与水平刻度值 4.0、6.0、8.0 的偏差值 a_2、a_3、a_4。

5)计算水平线性误差

$$\delta = \frac{|a_{max}|}{0.8b} \times 100\%$$

式中　δ——水平线性误差；

　　　a_{max}——a_2、a_3、a_4 中最大者；

　　　b——荧光屏水平满刻度值。

ZBY230—84 标准规定仪器的水平线性误差 $\delta \leqslant 2\%$。

(二)垂直线性的测试

(1)[抑制]至"0"，[衰减器]保留 30 dB 衰减余量。

(2)探头通过耦合剂置于 CSK–IA 试块上，如图 1-5 中 B 处，并用压块恒定压力。

(3)调[增益]使底波达荧光屏满幅度 100%，但不饱和作为 0 dB。

(4)固定[增益]，调[衰减器]，每次衰减 2 dB，并记下相应回波高度 H_i 填入表 1-15 中，直至消失。

表 1-15　回波高度

		衰减量 Δ (dB)	0	2	4	6	8	10	12	14	16	18	20	22
回波高度	实测	绝对波高 H_i	H_0											
		相对波高(%)	100											
	理想相对波高(%)		100											
	偏差(%)		0											

表 1-15 中：

$$实测相对波高(\%) = \frac{衰减\Delta_i后的波高H_i}{衰减0\,dB时波高H_D} \times 100\%$$

$$理想相对波高(\frac{H_i}{H_0})\% = 10^{\frac{\Delta_i}{20}} \times 100\% \qquad (20^{T_\delta}\frac{H_i}{H_0} = \Delta_i)$$

计算垂直线性误差

$$D = (|d_1| + |d_2|)\%$$

式中　D——垂直线性误差；

　　　　d_1——实测值与理想值的最大正偏差；

　　　　Δ_i——衰减值；

　　　　d_2——实测值与理想值的最大负偏差。

ZBY230—84 标准规定仪器的垂直线性误差 $D \leqslant 8\%$。

(三)动态范围的测试

(1)[抵制]至"0"，[衰减器]保留 30 dB。

(2)探头置于图 1-5A 处，调[增益]使底波 B_1 达到满幅度 100%。

(3)固定[增益]，记录这时衰减余量 N_1，调[衰减器]使波 B_1 降至 1 mm，记录这时的衰减余量 N_2。

(4)计算动态范围

$$\Delta = N_2 - N_1$$

ZNU230—84 标准规定仪器的动态范围 $\Delta \geqslant 26$ dB。

(四)盲区的测试

盲区的测试如图 1-7 所示。

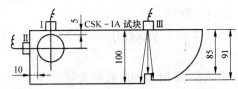

图 1-7　盲区和分辨力的测试(单位：mm)

盲区的精确测定是在盲区试块上进行的，由于盲区试块加工困难，因此通常利用 GSK–IA 或 ⅡW 试块来估计盲区的范围。

(1)[抑制]至"0"，其他旋钮位置适当。

(2)将直探头置于图 1-7 所示的 Ⅰ、Ⅱ 处。

(3)调[增益]、[水平]等旋钮，观察始波后有无独立的回波。

(4)盲区范围估计：探头置位 Ⅰ 处有独立回波，盲区小于 5 mm。探头置位 Ⅰ 处无独立回波，于 Ⅱ 处有独立回波，盲区在 5～10 mm 之间。探头置位 Ⅱ 处无独立回波，盲区大于 10 mm。

一般规定，盲区不大于 7 mm。

(五)分辨力的测定(直探头)

(1)[抑制]至"0"，其他旋钮位置适当。

(2)探头置于图 1-7 所示的 CSK–IA 试块上 Ⅲ 处，前后左右移动探头，使荧光屏上出现声程为 85、91、100 的三个反射波 A、B、C。

(3)当 A、B、C 不能分开时，如图 1-8(a)所示，则分辨力 F_1 为

$$F_1 = (91 - 85) \frac{a}{a-b} = \frac{6a}{a-b} \text{(mm)}$$

(4)当 A、B、C 能分开时，如图 1-8(b)所示，则分辨力 F_2 为

$$F_2 = (91-85)\frac{c}{a} = \frac{6c}{a}\,(\text{mm})$$

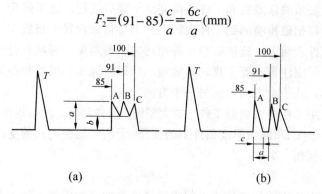

(a)   (b)

图 1-8   测分辨力波形(单位：mm)

一般规定分辨力不大于 6 mm。

(六)灵敏度余量的测试

(1)[抑制]至"0"，[增益]最大，[发射强度]调至强。

(2)连接探头，调节[衰减器]，使仪器噪声电平为满幅度的 10%，记录这时[衰减器]的读数 N_1。

(3)探头置于图 1-9 所示的灵敏度余量试块上(200/ϕ_1 平底孔试块)，调[衰减器]使 ϕ_1 平底孔回波达满幅度的 80%，这时[衰减器]读数为 N_2。

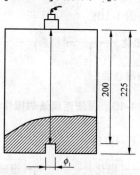

图 1-9   灵敏度余量试块(单位：mm)

(4)计算灵敏度余量：$\Delta N = N_2 - N_1$。

(七)试验报告要求

(1)写出试验名称、目的和用品。

(2)简要说明仪器性能、仪器与探头综合性能的测试方法及测试结果。

七、磁粉探伤方法

按照不同分类方法，磁粉探伤方法可分干法与湿法、连续法与剩磁法等。

(一)干法与湿法

1. 干法

采用干磁粉以空气为分散介质施加到磁化的工件表面上进行探伤的方法称干法。

干法探伤：必须确认磁粉和工件表面完全干燥后进行。施工磁粉一般采用低压压缩空气，通过喷洒器把磁粉喷洒到工件表面上，也可将磁粉置于布袋中，轻轻拍打布袋，使磁粉散布到工件表面上。施加磁粉要薄而均匀，要避免局部堆放过多，可用压缩空气吹去多余磁粉，但应注意不要干扰缺陷磁痕。吹风时风压、风量和距离要适当，要顺序地连续移动风具，从一个方向吹向另一个方向。

干法探伤适用于粗糙表面的工件，如大型铸、锻件毛坯，大型焊接焊缝局部的探伤。也可用于高温(315 ℃)和冻结温度条件下的探伤。干法常与便携式的支杆法和磁轭法探伤仪配合进行现场探伤。

2. 湿法

将磁粉按一定的比例与煤油或水配成磁悬液施加到磁化的工件表面上进行探伤的方法称为湿法。

湿法探伤：磁悬液通常盛装在一个容器中，然后通过软管和喷嘴施加到工件上(喷洒法)或将工件浸入磁悬液内(浸法)。喷洒法通常与连续法配合使用。采用剩磁法时，喷洒法和浸法都可以用，主要视检测工件、设备及现场情况而定。喷洒法的灵敏度略低于浸法。

(二)连续法与剩磁法

1. 连续法

在外加磁场磁化工件的同时，将磁悬液或磁粉施加到工件上进行探伤的方法，称为连续法或外加磁场法。

1)湿法连续法的操作程序(见图 1-10)

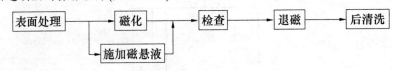

图 1-10　湿法连续法的操作程序

2)干法连续法的操作程序(见图 1-11)

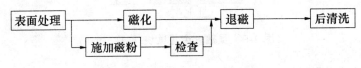

图 1-11　干法连续法的操作程序

2. 连续法的操作要点

1)湿法连续法的操作要点

可先施加磁悬液均匀润湿工件，然后通电磁化 1～3 s。与此同时，喷洒磁悬液，停止喷洒后再继续通电数次，每次 0.5～1 s。或者停止喷洒后继续通电数秒，待工件上磁悬液基本不流动后再切断磁化电流。若过早切断电流，还在流动着的磁悬液会影响磁痕的形成。

2)干法连续法的操作要点

应在施加干磁粉之前就开始通磁化电流，并在完成施加磁粉和吹掉多余磁粉之后才断开电流。

3. 剩磁法

利用工件停止磁化后的剩磁进行磁粉探伤的方法叫剩磁法。

1)剩磁法的操作程序(见图 1-12)

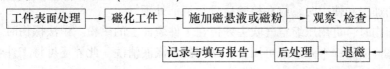

表面处理 → 磁化 → 施加磁悬液 → 检查 → 退磁 → 后清洗

图 1-12 剩磁法的操作程序

2)剩磁法操作要点

将工件通电磁化 0.5 ~ 1 s，然后切断磁化电流，再在工件上喷洒磁悬液或将工件浸入搅拌均匀的磁悬液内，20 ~ 30 s 取出后进行观察。

凡经淬火、调质等热处理的中、高碳钢和合金钢，其材料的剩余磁感应强度 B 在 0.8 T、熔顽力 H_C 在 800 A/m 以上的工件可以采用剩磁法探伤。

(三)磁粉探伤一般操作程序(见图 1-13)

工件表面处理 → 磁化工件 → 施加磁悬液或磁粉 → 观察、检查

记录与填写报告 ← 后处理 ← 退磁

图 1-13 磁粉探伤的一般操作程序

1. 工件表面处理

工件表面状况对于磁粉探伤的操作和探伤灵敏度都有很大的影响。为此，探伤前必须对工作表面处理清洁干燥。磁粉探伤前应清除工件表面的油脂、污垢、锈蚀、漆层、毛刺、砂土和松动的氧化皮等。工件表面的油脂、污垢可用有机溶剂清除，锈蚀、砂土和松动氧化皮可用金属刷或喷砂去除，油漆可用除漆剂去除，焊缝可用砂轮修整等。

此外，干法探伤时，工件表面不得有水和油，并应充分干燥。使用油磁悬液时，工件表面不应有水迹，使用水磁悬液时，工件表面应认真除油。

2. 磁化

在对工件进行磁化时，需要做好以下工作：

(1)根据工件所用材质和热处理状态，确定采用连续法还是剩磁法探伤。

(2)根据需要检出缺陷的深度，确定选用磁化电流的种类，检出表面缺陷，可选用交流电，需检出近表面缺陷，可选用整流电。

(3)根据工件的形状、尺寸和需要探伤部位及缺陷的方向，确定采用的磁化方法。选择磁化方法的一个重要原则是使磁场的方向尽可能与要检出的缺陷方向垂直。

(4)根据采用的探伤标准规定的磁化规范和工作尺寸，正确计算磁化电流值。

(5)按照以上确定的磁化参数，对工件进行磁化。

3. 施加磁悬液或磁粉

正确地施加磁悬液或磁粉是磁粉探伤基本操作中最重要的一个环节，是影响缺陷检出能力的重要因素之一，也是衡量探伤人员技术水平的重要依据之一。因此要精心操作，

还应注意磁悬液浓度的定期测定、磁悬液或磁粉的施加和喷洒时的压力和喷液量应适中。固定式磁粉探伤中循环使用的磁悬液浓度，要求每班前测定。以保证在整个探伤过程中磁悬液浓度保持一定，确保探伤质量。

4. 磁液观察与检查

检查与观察工件表面上的磁痕应在磁粉吹去的同时(干法)或磁悬液喷洒终止后且磁悬液基本停止流动时(湿法)进行。在这一环节中需进行磁痕分析、识别真伪缺陷磁痕，确认缺陷磁痕后，要记录缺陷的位置、形状与大小，并按标准进行评定。

非荧光磁粉探伤，在日光或灯光下观察，被检区的照度不低于 1 500 lx。荧光磁粉探伤，在暗场此外灯下观察，暗场光照度不大于 10 lx，被检区域的紫外线照度不应低于 1 μW/cm²。

5. 退磁

磁粉探伤后的工作，不是所有的都要退磁。需要退磁的工作按其具体工艺要求，选用能满足退磁要求的方法进行退磁。退磁的效果，可用 XCJ 型袖珍式磁强计测量其剩磁。

6. 后处理

磁粉探伤后，工件表面会残留部分磁粉或磁悬液。当残留的磁粉或磁悬液，会影响工件以后的加工和使用时，应在检验后进行清洁处理。

干法探伤时，可用压缩空气吹去残留在工件表面上的磁粉。湿法探伤时，油磁悬液可用汽油涤液清除；水磁悬液可用含防锈剂的水涤液清洗。此外还可将工件烘干，或用压缩空气吹干。

八、各种钢管的水压试验要求

(一)水压试验的基本规定

(1)试验压力值按图样或设计文件规定执行。

(2)明管或岔管试验时，应缓缓升压至工作压力，保持 10 min。对钢管进行检查，若情况正常，继续升至试验压力，保持 5 min，再下降至工作压力，保持 30 min，并用 0.5~1 kg 小锤在焊缝两侧各 15 ~ 20 mm 处轻轻敲击，整个试验过程中应无渗水和其他异常情况。

(3)试压时水温应在 5 ℃以上。

(二)岔管水压试验

新型结构的岔管、高水头岔管和用高强钢或首次使用新钢种制造的岔管应做水压试验。一般岔管是否需做岔管试验按设计规定执行。

(三)明管水压试验

(1)明管应做水压试验，可做整体或分段水压试验。分段试验时，分段长度和试验压力由设计单位提供。

(2)明管安装后，做整体或分段水压试验确有困难的，当采用的钢板性能优良、低温韧性高、施工时能严格按评定的焊接工艺施焊，纵、环缝按 100%无损探伤。需焊后热处理的焊缝进行了热处理，并经上级主管部门批准的，可以不做水压试验。

第二章　闸门安装检测技术

第一节　平面闸门埋件及门体安装检测技术

一、平面闸门埋件安装工程

(一)一般规定

(1)埋件应在制造厂进行整体组装，经检查合格方可出厂，并有出厂合格证、说明书。

(2)除安装焊缝两侧外，埋件防腐蚀工作应在制造厂完成。如设计另有规定，则应按设计要求执行。

(3)埋件运到现场后，应对埋件做单件或整体复测，各项尺寸应符合现行有关规范和设计图纸的规定。

(4)埋件安装后，应用加固钢筋将其与预埋螺栓或插筋焊牢，以免浇筑二期混凝土时发生位移。

(5)二期混凝土拆模后应进行复测，同时应清除遗留的钢筋头等杂物，以免影响闸门启闭。

(二)具体要求

平面闸门埋件安装项目、标准、检验位置、检验工具和方法如表 2-1 ～ 表 2-3 所示。

表 2-1　主轨、反轨、侧止水板、门槽标准和检验工具及位置

项次	项目	允许偏差 (mm)	检验工具	检验位置
1	主轨与反轨工作面间的距离	+4 −1	用自制定尺直接测量或通过计算求得	每米至少测 1 点
2	主轨中心距	±4	用钢尺直接测量	每米至少测 1 点
3	反轨中心距	±5	用钢尺直接测量	每米至少测 1 点
4	主轨与侧止水座板面间的距离	+3 −1	直接测量或通过计算求得	每米至少测 1 点
5	侧止水座板中心距	±4	用钢尺测量	每米至少测 1 点
6	门槽中心和底槛面距离	±2	用钢尺测量	两端各测 1 点、中间测 2 ～ 3 点

表 2-2　门槽、孔口、门楣标准和检测位置　　　　　　　　　　（单位：mm）

项次		1	2
项目		底槛	门楣
检验位置			
对门槽中线 a	△工作范围内	±5	+2 −1
	工作范围外		
对孔口中心线 b	△工作范围内	±5	
	工作范围外		
高　程	▽	±5	
△门楣中心对底槛面的距离 h			±3
△工作表面一端对另一端的高差	$L \geqslant 10\,000$	3	
	$L < 10\,000$	2	
工作表面波状不平度	△工作范围内	2	2
	工作范围外		
△工作表面组合处的错位	工作范围内	1	0.5
	工作范围外		
工作表面扭曲 f	简图		
	△工作范围内表面宽度 B　$B < 100$	1	1
	$B = 100 \sim 200$	1.5	1.5
	$B > 200$	2	
	所有宽度		
	工作范围外允许增加值		

项次		3		4	5
项目		主轨		侧轨	反轨
		加工	不加工		
检验位置					
对门槽中心线 a	△工作范围内	+2 −1	+3 −1	± 5	+3 −1
	工作范围外	+3 −1	+5 −2	± 5	+5 −2
对孔口中心线 b	△工作范围内	± 3	± 3	± 5	± 3
	工作范围外	± 4	± 4	± 5	± 5
高程	▽				
△门楣中心对底槛面的距离 h					
△工作表面一端对另一端的高差	L≥10 000				
	L<10 000				
工作表面波状不平度	△工作范围内				
	工作范围外				
△工作表面组合处的错位	工作范围内	0.5	1	1	1
	工作范围外	1	2	2	2
工作表面扭曲 f	简图				
	△工作范围内表面宽度 B : B<100	0.5	1	2	2
	B=100~200	1	2	2.5	2.5
	B>200	1	2	3	3
	所有宽度				
	工作范围外允许增加值	2	2	2	2

续表 2-2

项次		6	7	8			
项目		侧止水座板	护角兼作侧轨	胸墙			
				兼作止水		不兼作止水	
				上部	下部	上部	下部
检验位置							
对门槽中心线 a	△工作范围内	+2 −1	±5	+5 0	+2 −1	+8 0	+2 −1
	工作范围外		±5				
对孔口中心线 b	△工作范围内	±3	±5				
	工作范围外		±5				
高程 ▽		▽					
△门楣中心对底槛面的距离 h							
△工作表面一端对另一端的高差	L≥10 000						
	L<10 000						
工作表面波状不平度	△工作范围内	2		2	2	4	4
	工作范围外						
△工作表面组合处的错位	工作范围内	0.5	1	1	1	1	1
	工作范围外		2				
工作表面扭曲 f	简图						
	△工作范围内表面宽度 B, B<100	1	2				
	B=100~200	1.5	2.5				
	B>200		3				
	所有宽度						
	工作范围外允许增加值		2				

注：1．L 为闸门宽度。2．构件每米至少应测 1 点。3．胸墙下部系指和门楣组合处。4．门槽工作范围高度：静水启闭闸门为孔口高；动水启闭闸门为承压主轨高度。5．侧轮如为预压式弹性装置，则侧轨偏差按图纸规定。6．组合处错位应磨成缓坡。7．测量工具：钢丝线、垂球、钢板尺、水准仪、经纬仪。

表 2-3　埋件防腐金属喷镀标准、检验工具、位置和方法

项次	项目	质量标准		检验工具	检验位置和方法
		合格	优良		
1	埋件防腐蚀金属喷镀	经外观检查,喷镀金属表面均应均匀、无气泡、无凸斑、无黏附金属	外观质量达到合格标准,喷镀层厚度符合设计要求,用切划网格法检测附着力时镀层不应和母材分离。如果每网格中有少许镀层粘在胶带上,但部分仍粘在母材上而且分离发生在喷镀金属层处,不是在结合面上,则附着力亦满足要求	外观用肉眼检查或用 5 倍放大镜检查,喷镀层测度用电磁或磁力计原厚仪检测,用缝剂刀工具切划网格	每 10 m² 喷镀面积抽测 1 dm² 面积的厚度,在这 1 dm² 的面积内侧 10 点的厚度,求其算术平均值。附着力检测当镀层厚度在 200 μm 以上,在 25 mm×25 mm 面积内按 5 mm 间距;当镀层厚度在 200 μm 以下,在 15 mm ×15 mm 面积内按 3 mm 间距,用刀切划网格,切割深度应以镀层主母材,再用负荷为 500 g 的辊子把一条合适的胶带粘在网格部位,而后沿垂直表面方向迅速扯开胶带

二、平面闸门门体安装工程检测技术

平面闸门门体安装工程检测技术的一般规定和要求如下:

(1)门体应在制造厂进行整体组装,经检查合格方可出厂,并附出厂合格证、安装说明书。

(2)门体运到现场后,应对门体做单件或整个复测,各项尺寸应符合现行有关规范要求和设计图纸规定。

(3)门体除安装焊缝两侧外,门体防腐蚀工作均应在制造厂完成,如设计另有规定,则应按设计要求执行。

(4)门体如分节到货,节间系焊接的,则焊接前应编制焊接工艺措施。焊接时应监视变形,焊接后门体尺寸应符合现行有关规范要求和设计图纸规定。

反向滑块至滑道或滚轮的距离标准、检验工具、位置和方法见表 2-4。

表 2-4　反向滑块至滑道或滚轮的距离标准、检验工具、位置和方法

项次	项目	允许偏差(mm)		检验工具	检验位置和方法
		合格	优良		
△1	反向滑块至滑道或滚轮的距离(反向滑块自由状态)	±2	+2 -1	钢丝线、钢板尺	通过反向滑块面、滚轮面或滑道面拉钢丝线测量

止水橡皮安装标准、检测工具、位置和方法见表 2-5。

表 2-5　止水像皮安装标准、检测工具、位置和方法

项次	项目	允许偏差(mm)		检验工具	检验位置和方法
		合格	优良		
1	两侧中心止水距离和顶止水至底止水边缘距离	±3		钢尺	每米测 1 点
△2	止水橡皮顶面平度	2		钢丝线、钢板尺	通过止水橡皮顶面拉线测量，每 0.5 m 测 1 点
△3	止水橡皮与滚轮或滑道面距离	+2 −1	±1	钢丝线、钢板尺	通过滚轮顶面或通过滑道面(每段滑道至少在两端各测 1 点)拉线测量

第二节　弧形闸门埋件及门体安装检测技术

一、一般规定

各项标准、检验位置见表 2-6。

表 2-6　各项标准、检验位置　　　　　　　　　　(单位：mm)

项次		1
项目		底槛
测量位置		
里程		±5
高程		±5
门楣中心至底槛面的距离 h 对孔口中心线 b	△工作范围内	±5
	工作范围外	
△工作表面一端对另一端的高差	L≥10 000	3
	L<10 000	2
△工作表面波状不平度		2
△工作表面组合处的错位		1
△侧止水座板和侧轮导板中心线的曲率半径		
工作表面扭曲 f	简图	
	△工作范围内表面宽度 B	B<100	1
		B=100～200	1.5
		B>200	2
	工作范围外允许增加数值	

项次		2	3	
项目		门楣	侧止水座板	
			潜孔式	露顶式
测量位置				
里程		+2 −1		
高程				
门楣中心至底槛面的距离 h		±3		
对孔口中心线 b	△工作范围内		±2	+3 −2
	工作范围外		+4 −2	+6 −2
△工作表面一端对另一端的高差	L≥10 000			
	L<10 000			
△工作表面波状不平度		2	2	2
△工作表面组合处的错位		0.5	1	1
△侧止水座板和侧轮导板中心线的曲率半径			±5	±5
工作表面扭曲 f	简图			
	△工作范围内表面宽度 B	B<100	1	1	1
		B=100~200	1.5	1.5	1.5
		B>200	2	2	2
	工作范围外允许增加数值		2	2

项次		4	备 注
项目		侧轮导板	
测量位置			
里程			
高程			
门楣中心至底槛面的距离 h			
对孔口中心线 b	△工作范围内	+3 −2	
	工作范围外	+6 −2	
△工作表面一端对另一端的高差	$L \geqslant 10\,000$		
	$L < 10\,000$		
△工作表面波状不平度		2	
△工作表面组合处的错位		1	
△侧止水座板和侧轮导板中心线的曲率半径		±5	
工作表面扭曲 f	简图		
	△工作范围内表面宽度 B	$B < 100$	2
		$B = 100 \sim 200$	2.5
		$B > 200$	3
	工作范围外允许增加数值		2

注：1. L 为闸门宽度。2. 安装时门楣一般为最后固定，故门楣位置宜按门叶实际位置进行调整。3. 工作范围指孔口高度。4. 构件每米至少测1点。5. 潜孔式侧止水座板如为不锈钢，其组合处错位为0.5。6. 组合处错位应磨成缓坡。7. 测量工具：钢丝线、垂球、钢板尺、水准仪、经纬仪。

二、弧形闸门埋件安装的一般规定和要求

(1)埋件应在制造厂进行整体组装，经检查合格方可出厂。其中铰座和铰座钢梁的螺孔应配钻。

(2)除焊缝两侧外，埋件防腐蚀工作应在制造厂完成。

(3)埋件运到现场后，应对门体做单件或整个复测，各项尺寸应符合现行有关规范要求和设计图纸规定。

(4)作为安装铰座、侧止水座板、底槛等埋件用的控制点，设置时应由同一基准点引出，其相互间尺寸应仔细核对，免出差错。

(5)埋件安装完应用加固钢筋将其与预埋螺栓或插筋焊牢，以免浇筑二期混凝土时发生位移，二期混凝土拆模后应进行复测。

三、弧形闸门门体安装工程检测的一般规定和要求

(一)一般规定

(1)门体应在制造厂进行整体组装，要检查合格方可出厂。

(2)除安装焊缝两侧外，门体防腐蚀工程均应在制造厂完成，如设计另有规定，则应按设计要求执行。

(3)门体运到现场后，应对门体做单件或整体复测，各项尺寸应符合现行有关规范和设计图纸规定。

(4)门体如系分节到货，则焊接前应编制焊接工艺措施，焊接时应监视变形，焊接后门体尺寸应符合现行有关规范和设计图纸规定。

(二)具体要求

(1)圆柱形、球形和锥形铰座安装标准、检验工具、位置见表 2-7。

表 2-7　圆柱形、球形和锥形铰座安装标准、检验工具、位置

项次	项目	允许偏差(mm)		检验工具	检验位置	备注
		合格	优良			
1	镜座中心对孔口中心的距离	±1.5	±1	钢丝线、垂球钢尺、钢板尺		
2	铰座里程	±2	±1.5			
3	铰座高程	±2	±1.5			
△4	铰座轴孔倾斜度	1 mm/m	1 mm/m			
△5	两铰座轴线相对位置的偏移	2	1.5			

(2)门体安装标准、检验工具、位置见表 2-8。

表 2-8　门体安装标准、检验工具、位置

项次	项目	允许偏差(mm)				检验工具	检验位置
		潜孔式		露顶式			
		合格	优良	合格	优良		
1	支臂中心与铰链中心吻合值Δ	2	1.5	2	1.5	钢尺、钢板尺	曲率半径 R，在门叶两端各测 1 点，中间至少测 2 点
2	支臂中心至门叶中心的偏差 l	±1.5	±1.5	±1.5	±1.5		
△3	铰轴中心至面板外缘曲率半径 R	±4	±4	±8	±8		
△4	两侧曲率半径相对差	3	3	5	4		

(3)止水橡皮安装标准、检验工具、位置见表 2-9。

表 2-9　止水橡皮安装标准、检验工具、位置

项次	项目	允许偏差(mm)		检验工具	检验位置
		合格	优良		
1	止水橡皮实际压缩量和设计压缩量	+2	−1	钢板尺	沿止水橡皮长度检查

(4)支臂两端连接板和抗剪板安装标准、检验工具、位置见表 2-10。

表 2-10　支臂两端连接板和抗剪板安装标准、检验工具、位置

项次	项目	质量标准		检验工具	检验位置
		合格	优良		
1	支臂两端的连接板和铰链主梁接触	良好		塞尺	
2	抗剪板和连接板接触	顶紧		塞尺	

第三节　人字闸门埋件及门体安装检测技术

一、人字闸门埋件安装的一般规定和要求

(一)一般规定

(1)埋件应在制造厂进行整体组装，经检查合格方可出厂。其中蘑菇头安装中心应在制造加工时定出。

(2)除安装焊缝两侧外，埋件防腐蚀工作应在制造厂完成，如设计另有规定，则应按设计要求执行。

(3)埋件运到现场后，应对埋件单件或整体复测，各项尺寸应符合现行有关规范和设计图纸规定。

(4)底槛应先进行试安装，待门体安装完，视底槛止水橡皮压紧程度再调整底槛位置。

(二)具体要求

(1)底枢装置安装标准、检验工具、位置见表 2-11。

表 2-11　底枢装置安装标准、检验工具、位置

项次	项目	允许偏差(mm)		检验工具	检验位置
		合格	优良		
△1	蘑菇头中心	2	1.5	经纬仪、水准仪、钢板尺	
2	蘑菇头高程	±3	±2		
△3	两蘑菇头相对高程	2	1.5		
△4	底枢轴座水平	1 mm/m	0.8 mm/m		

(2)顶枢装置安装标准、检测工具、位置见表 2-12。

表 2-12　顶枢装置安装标准、检测工具、位置

项次	项目	允许偏差(mm)		检验工具	检验位置
		合格	优良		
△1	两杆中心线交点与顶枢中心	2	1.5	钢丝线、钢板尺、垂球、水准仪、经纬仪	
△2	拉杆两端高差	1	0.8		
△3	顶枢轴两座板铅垂线	1 mm/m	0.8 mm/m		

(3)枕座安装标准、检验工具、位置见表 2-13。

表 2-13　枕座安装标准、检验工具、位置

项次	项目	允许偏差(mm)		检验工具	检验位置
		合格	优良		
1	枕座中心线(左右、前后)	2	1.5	垂球、钢板尺或经纬仪	以支承中心为基准进行检测

二、人字闸门门体安装检测

(一)一般规定

(1)门体应在制造厂进行整体组装,经检查合格方可出厂。

(2)除安装焊缝两侧外,门体防腐蚀工作均应在制造厂完成,如设计另有规定,则应按设计要求执行。

(3)门体运到现场后,应对门体做单件或整体复测,各项尺寸应符合现行有关规范要求和设计图纸规定。

(4)门体如分节运到现场,在现场采用平放位置或竖立位置组焊成整体,则焊接前应编制焊接工艺措施。焊接时应监视变形,焊接后门体尺寸应符合现行有关规范和设计图纸规定。

(二)具体要求

(1)顶底枢轴线安装标准、检验工具、检验位置和方法见表2-14。

表 2-14　顶底枢轴线安装标准、检验工具、检验位置和方法

项次	项目	允许偏差(mm)		检验工具	检验位置和方法	备注
		合格	优良			
△1	顶、底枢轴线偏离值	2	1.5	垂球、钢板尺、经纬仪、水准仪	用胶布将钢板尺贴于门体斜接柱端上	
△2	旋转门叶,从全开到全关过程中,斜接柱上任一点的跳动量: 门宽小于12 m 门宽大于12 m	1 2	1 1.5			
△3	底横梁在斜接柱一端的下垂度	5	4			

(2)支、枕垫块安装标准、检验工具、位置见表2-15。

表 2-15　支、枕垫块安装标准、检验工具、位置

项次	项目		允许偏差(mm)		检验工具	检验位置	备注
			合格	优良			
1	支、枕垫块间隙	局部的	0.4 连续长度不大于垫块全长的10%		塞尺、钢板尺	每支、枕垫块的全长	
		连续的	0.1				
2	每对相对接触的支、枕垫块中心线偏移		5	4		每对支、枕垫块的两端	

(3)止水橡皮安装标准、检验工具、检验位置和方法见表2-16。

表 2-16　止水橡皮安装标准、检验工具、检验位置和方法

项次	项目	允许偏差(mm)		检验工具	检验位置和方法
		合格	优良		
△1	止水橡皮顶面平度	2		钢丝线、钢板尺	通过止水橡皮顶面拉线测量，每 0.5 m 测 1 次
△2	止水橡皮实际压缩量和设计压缩量	+2 −1		钢板尺	沿止水橡皮长度检查

第四节　活动式拦污栅安装检测技术

一、一般规定和要求

(1)栅体应在制造厂进行整体组装，经检查合格方可出厂。

(2)埋件和栅体运到现场后，应对其各项尺寸进行复测。

(3)埋件和栅体防腐工作均应在制造厂完成，如设计另有要求，则应按设计要求执行。

(4)埋件安装后，应加固牢靠，防止浇注混凝土时发生位移，混凝土拆模后埋件应进行复测。

二、埋件安装

(1)埋件安装质量合格的基础上，孔口部位各埋件的距离有 50%及其以上的实测点时，其标准、检验工具、位置见表 2-17。

表 2-17　孔口部位各埋件间距标准、检验位置、工具

项次	项目	允许偏差(mm)	检验工具	检验位置
1	主、反轨工作面间距离	+7 −3	钢尺或通过计算求得	每米测 1 点
2	主轨中心距离	±8		
3	反轨中心距离	±8		

(2)埋件安装标准、检验工具、位置见表 2-18。

表 2-18　埋件安装标准、检验工具、位置

项次	项　目	允许偏差(mm)		检验工具	检验位置
		合格	优良		
1	底槛里程	± 5	± 4	钢丝线、垂球、钢板尺、水准仪	两端各测 1 点，中间测 1～3 点
2	底槛高程	± 5	± 4		
3	底槛对孔口中心	± 5	± 4		
△4	主轨对栅槽中心线	+3 −2	+3 −2		每米至少测 1 点
△5	反轨对栅槽中心线	+5 −2	+5 −2		
6	主、反轨对孔口中心线	±5	± 4		
7	倾斜设置的拦污栅的倾斜角度	10′	10′		

三、栅体安装

栅体安装标准、检验工具、位置见表 2-19。

表 2-19　栅体安装标准、检验工具、位置

项次	项目	质量标准	检验工具	检验位置
△1	栅体间连接	应牢固可靠	垂球、钢板尺	两端各测1点,中间测1～
△2	栅体在栅槽内升降	灵活、平稳、无卡阻现象	水准仪、肉眼	3点

第五节　各种闸门试验方法及启闭机试验方法

一、闸门试验的方法与要求

(一)平面闸门试验

平面闸门应做静平衡试验。试验方法为闸门吊离地面 100 mm,通过滚轮或滑道的中心测量上、下游与左、右方向的倾斜,倾斜度不应超过门高的 1/1 000 且不大于 8 mm。当超过上述规定时应予配重。

(二)弧形闸门试验

(1)闸门安装好后,应在无水情况下做全程启闭试验。试验前应检查挂钩梁自动挂钩、脱钩是否灵活可靠,充水阀在行程范围内的升降是否自如,在最低位置时止水是否严密。同时,还须清除门叶上和门槽内所有杂物并检查吊杆的连接情况,启闭时应在止水橡皮的滑动摩擦面浇水润滑。有条件时工作闸门应做动水启闭试验。

(2)闸门启闭过程中应检查滚轮、支铰等转动部位的情况,以及闸门升降有无卡阻、止水橡皮有无损伤等现象。

(3)闸门全部处于工作部位后,应用灯光或其他方法检查止水橡皮的压紧程度,不应有透亮或间隙。如闸门为上游止水,则应在支承装置和轨道接触后检查。

(4)闸门在承受设计水头的压力时,通过橡皮止水每米长度的漏水量不应超过 0.11%。

二、启闭机的试运转方法和要求

(一)固定卷扬机式启闭机试运转

1. 电气设备的试验要求

接电试验前应认真检查全部接线并符合图样规定,整个线路的绝缘电阻必须大于 0.5 MΩ 才可开始接电试验。试验中各电动机和电气元件温升不能超过各自的允许值。试验应采用该机自身的电气设备,试验中若触头等元件有烧灼者应予更换。

2. 无负荷试验

启闭机无负荷试验共上、下全行程往返三次,检查并调整下列电气和机械部分:

(1)电动机运行应平稳,三相电流不平衡度不超过 ±10%,并测定电流值。

(2)电气设备应无异常发热现象。

(3)检查和调试限位开关(包括充水平压度节点),使其动作准确可靠。

(4)高度指示和荷重指示准确反映行程和重量,到达上下极限位置,主令开关能发出信号并自动切断电源,使启闭机停止运行。

(5)所有机械部件运转时均不应有冲击声和其他异常声音,钢丝绳在任何部位均不得与其他部件相摩擦。

(6)制动闸瓦松闸时应全部打开,间隙应符合要求,并测出松闸电流值。

(7)对快速闸门启闭机,利用直流电源松闸时应分别检查和记录松闸直流电流值及松闸持续 2 min 时电磁线圈的温度。

3. 负荷试验

启闭机的负荷试验应在设计水头工况下进行,先将闸门在门槽内无水或静水中全程上、下升降两次;对于动水启闭的工作闸门或动水闭静水启的事故闸门,还应在设计水头动水工况下升降两次;对于快速闸门,应在设计水头动水工况下机组导叶开度 100% 甩负荷工况下,进行全行程的快速关闭试验。

负荷试验运转时应检查下列电气和机械部分:

(1)电动机运行应平衡,三相电流不平衡度不超过 ±10%,并测出电流值。

(2)电气设备应无异常发热现象。

(3)所有保护装置和信号应准确可靠。

(4)所有机械部件在运转中不应有冲击声,开放式齿轮啮合工况应符合要求。

(5)制动器应无打滑、焦味和冒烟现象。

(6)荷重指示器与高度指示器的读数能准确反映闸门在不同开度下的启闭力值,误差不得超过 ±5%。

(7)对于快速闸门启闭机,快速闭门时间不得超过设计允许值(2 min)。快速关闭的最大速度不得超过 5 m/min,电动机(或调速器)的最大转速一般不得超过电动机额定转速的 2 倍。

离心式调速器的摩擦面,其最高温度不得超过 200 ℃。采用直流电源松闸时,电磁铁圈的最高温度不得超过 100 ℃。

另外,在上述试验结束后,机构各部分不得有破裂、永久变形、连接松动或损坏,电气部分应无异常发热现象等影响性能和安全的质量问题。

(二)液压启闭机试运转

(1)试运转前应检查以下内容:①门槽内的一切杂物应清除干净,保证闸门和拉杆不受卡阻。②机架固定是否牢固,对采用焊接固定的,应检查焊缝是否达到要求;对采用地脚螺栓固定的,应检查螺母是否松动。③电气回路中的单个元件和设备均应进行调试,并应符合《低压电器基本标准》(GB1497)的有关规定。

(2)油泵第一次启动时,应将油泵溢流阀全部打开,连续空转 30 ~ 40 min,油泵不应有异常现象。

(3)油泵空转正常后,在监视压力表的同时,将溢流阀逐渐旋紧使管路系统充油,充油时应排除空气。管路充满油后,调整油泵溢流阀,使油泵在其工作压力的25%、50%、

75%和 100%的情况下分别连续运转 15 min，应无振动、杂音和温升过高等现象。

(4)上述试验完毕后，调整油泵溢流阀，使其压力达到工作压力的 1.1 倍时动作排油，此时也应无剧烈振动和杂音。

(5)油泵阀组的启动阀应在油泵开始转动后 3 ~ 5 s 内动作，使油泵带上负荷，否则应调整弹簧压力或节油孔的孔径。

(6)在无水时先手动操作升降闸门一次，以检验缓冲装置减速情况和闸门有无卡阻现象，并记录闸门全开时间和油压值。

(7)调整主令控制器凸轮片，使主令控制器的电气接点接通或断开时，闸门所处的位置符合图样要求，但门上充水阀的实际开度应调至小于设计开度 30 mm。

调整高度指示器，使其指针能正确指出闸门所处位置。

(8)第一次快速关闭闸门时，应在操作电磁阀的同时做好手动关阀门的准备，以防闸门过速下降。

(9)将闸门提起在 48 h 内，闸门因活塞油封和管路系统的漏油而产生的沉降量不应大于 200 mm。

(10)手动操作试验合格方可进行自动操作试验，提升和快速关闭闸门一次试验时，准确记录闸门提升、快速关闭、缓冲的时间和当时库水位及油压值，其快速关闭时间应符合设计规定。

(三)移动式启闭机试运转

1. 试运转前的检查

(1)检查所有机械部件、连接部件、各种保护装置及滑润系统等的安装及注油情况，其结果应符合要求，并清除轨道两侧所有杂物。

(2)检查钢丝绳端的固定应牢固，在卷筒、滑轮中缠绕方向应正确。

(3)检查电缆卷筒、中心导电装置、滑线、变压器以及各电动机的接线是否正确以及是否有松动现象存在，并检查接地是否良好。

(4)对于双电动机驱动的起重机构，应检查电动机的转向是否正确以及转速是否同步，双吊点的起重机构应使两侧钢丝绳尽量调至等长。

(5)检查走行机构的电动转向是否正确以及转速是否同步。

(6)用手转动各机构的制动轮，使最后一根轴(如车轮轴、卷筒轴)旋转一周，不应有卡阻现象。

2. 空载试运转

起升机构和走行机构应分别在行程内上、下往返三次，并检查下列电气和机械部分：

(1)电动机运行应平稳，三相电流应平衡。

(2)电气设备应无异常发热现象，控制器的触头应无烧灼现象。

(3)限位开关、保护装置及连锁装置等动作应正确可靠。

(4)当大、小车行走时车轮不允许有啃轨现象。

(5)当大、小车行走时导电装置应平稳，不应有卡阻、跳动及严重冒火花现象。

(6)所有机械部件运转时，均不应有冲击声和其他异常声音。

(7)运转过程中，制动闸瓦应全部离开制动轮，不应有任何摩擦。

(8)所有轴承和齿轮应有良好的滑润,轴承温度不得超过 65 ℃。

(9)在无其他噪声干扰的情况下,各项机构产生的噪声、在习机座测量测得的噪声不得大于 85 dB(A)。

3. 静荷载试验

静荷载试验的目的是检验启闭机各部件和金属结构的承载力。

起升额定荷载,在门架或桥架全长上往返运行,检查门机和桥机性能达到设计要求。卸去荷载,使小车分别停在主梁跨中和悬臂端,定出测量基准点;再分别起升 1.25 倍额定荷载,离地面 100~200 mm,停留不少于 10 min,然后卸去荷载,检查门架或桥架永久变形。如此重复三次,门架或桥架不应再产生永久变形,将小车开到门机支腿处或桥机跨端,检查实际拱值和上挠值应不小于:跨中 $\dfrac{0.7}{1\,000}L$;悬臂端 $\dfrac{0.7}{350}L_1$(或 L_2)。最后使小车仍停在跨中和悬臂端,起升额定荷载检查主梁挠度值不大于:跨中 $\dfrac{1}{700}L$;悬臂端 $\dfrac{1}{350}L_1$(或 L_2)。

在上述静荷载试验结束后,起重机各部分不能有破裂、连接松动或损坏等影响性能和安全的质量问题出现。

4. 动荷载试验

动荷载试验的目的主要是检查启闭机构及其制动器的工作性能。

起升 1.1 倍额定荷载做动荷载试验,试验时按设计要求的机构组合方式应同时开动两个机构,作重复的启动、运转、停车、正转、反转等,动作延续至少应达 1 h。各机构应动作灵敏,工作平稳可靠,各限位开关、安全保护连锁装置及防爬装置动作应正确可靠,各零件应无裂纹等损坏现象,各连接处不得松动。

5. 其他要求

荷载试验用的试块一般采用专用试块,当额定荷载超过 2 000 kN,若采用试块有困难时,可用液压测力器只做静荷载试验。

另外,凡未在制造厂进行试验的启闭机,出厂前应符合下列要求:

(1)总体预装。小车、支腿与下横梁、支腿与主梁、走行机构等,应分别进行预装,检查零部件的完整性和几何尺寸的正确性,并标有预装标记。支腿与主梁如不进行预装,则应采取可靠的工艺方法保证其几何尺寸的正确性。

(2)空载运输试验。对走行机构是将车轮架空的情况下进行试验,对起升机构则是在不带钢丝及吊钩的情况下进行试验。

进行空运转试验,分别开动各机构,做正、反向运转,试验累计时间各 30 min 以上,各机构应运转正常。

(四)螺栓式启闭机试运转

1. 空载试验

空载试验一般在工厂进行,若螺杆太长,厂内试运转有困难,经双方协议,也可到使用现场进行,但出厂前应将螺母线、螺杆全行程旋转,保证良好接触,无卡阻现象。

空载试验应检查以下内容：

(1)零部件组装是否符合图样及通用技术标准的要求。

(2)手摇部分应转动灵活、平稳，无卡阻现象。手、电两用机构，其电气闭锁装置应安全可靠。

(3)检查行程开关动作是否灵敏、准确。

(4)检查机箱接触面是否有渗漏现象。

(5)电动机正、反转运行时，是否有振动或其他不正常现象。

(6)双电动机驱动的启闭机，应分别通电，使其旋转方向与螺杆升降方向一致。

2. 负荷试验

负荷试验是将闸门在全行程内启闭两次。

制造厂一般不进行负荷试验，只有在新产品试制或用户有要求时，根据双方协议，可以在工厂内或在使用现场进行负荷试验。负荷试验时应检查以下内容：

(1)手摇部分应转动灵活，无卡阻现象。

(2)传动零件运转平稳，无异常声音、发热和漏油现象。

(3)高度指示刻度是否准确，上、下行程开关动作应灵敏可靠。

(4)对于装有超载保护装置、高度显示装置的螺杆启闭机，应对发送、接收等进行专门测试，保证动作灵敏、指示正确、安全可靠。

(5)对于双吊点启闭机，两螺杆同步运行应进行测试，应确保两螺杆升降行程一致；对于双电动机驱动启闭机，应检查运行是否平衡，电流是否平衡。

第三章　启闭机安装检测技术

第一节　启闭机轨道安装检测技术

启闭机轨道安装检测的一般规定和要求如下：

(1)轨道如有弯曲、歪扭等变形，应予矫形，符合现行有关规范规定后，方可安装。

(2)轨道基础螺栓应埋设牢固，质量符合现行有关规范规定。

(3)两平行轨道连接的接头位置错开，其错开距离不应等于起重机前后车轮的轮距。

启闭机轨道安装标准、检验工具、位置见表3-1。

表 3-1　启闭机轨道安装标准、检验工具、位置

项次	项目		允许偏差(mm)		检验工具	检验位置	备注
			合格	优良			
△1	轨道实际中心线对轨道设计中心线位置的偏移	$L \leq 10$ m	2	1.5	钢尺、钢板尺、钢丝线	轨道设计中心线应根据启闭机起吊中心线测定	L 为轨距
		$L > 10$ m	3	2.5			
△2	轨距	$L \leq 10$ m	±3	±2.5			
		$L > 10$ m	±5	±4			
△3	轨道纵向平度		0.7 mm/m 且全程不超过10	0.7 mm/m 且全程不超过8	水准仪		
△4	同一断面上，两轨道高程相对差		$L/800$ 且不超过10	$L/800$ 且不超过8			
5	轨道接头左、右、上三面错位		1	1			
6	轨道接头间隙		1~3	1~2	钢板尺		
7	伸缩节接头间隙		+2 −1	±1			

第二节　桥式启闭机(或起重机)安装检测技术

一、一般规定和要求

(1)桥式启闭机出厂前，应进行整体组装和试运转，经检查合格后方可出厂。

(2)桥式启闭机运到现场后，应对开式齿轮的侧、顶间隙和齿轮啮合接触点百分数、轴瓦和轴颈间的顶、侧间隙以及顶梁上的拱度、旁弯度等进行复测。必要时，应对设备进行分解、清扫、检查。

(3)桥式启闭机电气设备安装、试验质量等级评定根据水利部颁发的水利水电基本建设

工程质量等级评定标准，即《发电电气设备安装工程(试行)》(SDJ249.5—88)中有关规定。

二、无负荷试验

无负荷试验运转时，电气和机械部分应符合下列要求：

(1)电动机运行平稳，三相电流平衡。

(2)电气设备无异常发热现象。

(3)限位装置、保护装置及连锁装置等动作正确、可靠。

(4)控制器接头无烧损现象。

(5)当大、小车行走时，滑块滑动平稳，无卡阻、跳动及严重冒火花现象。

(6)所有机械部件运转时，无冲击声及其他异常声音，所有构件连接处无松动、裂纹和损坏现象。

(7)所有轴承和齿轮应有良好的润滑，机箱无渗油现象，轴承温度不得大于65℃。

(8)运行时，制动闸瓦应全部离开制动轮，无任何摩擦。

(9)钢绳在任何条件下不与其他部件碰刮，定、动滑轮转动灵活，无卡阻现象。

三、静负荷试验

静负荷试运转应符合下列要求：

(1)电气和机械部分应符合相关规定。

(2)升降机构制动器能制止住1.25倍额定负荷的升降，且动作平稳、可靠。

(3)小车停在桥架中间，吊起1.25倍额定负荷，停留10 min卸去负荷，小车开到跨端，检查桥架变形，反复三次后，测量主梁实际上拱度不应大于0.8L/1 000(L为跨度)。

(4)小车停在桥中间，起吊额定负荷，测量主梁下挠度不应大于L/700(L为跨度)。

四、动负荷试验

动负荷试运转应符合下列要求：

(1)电气和机械部分应符合相关规定。

(2)升降机构制动器能够制止住1.1倍额定负荷的升降，且动作平稳、可靠。

(3)行走机构制动器能刹住大车及小车，同时不使车轮打滑或引起振动和冲击。

五、其他要求

(1)制动器的径向圆跳动和端面圆跳动的安装标准、检验工具、检验位置见表3-2。

表3-2 制动器径向圆跳动和端面圆跳动安装标准、检验工具、位置

项次	项目	允许偏差(mm)						检验工具	检验位置
		制动轮直径 D							
		≤200		200～300		>300			
		合格	优良	合格	优良	合格	优良		
1	制动轮径向圆跳动	0.10		0.12		0.18		百分表	端面圆跳动在联轴器的结合面上测量
2	制动轮端面圆跳动	0.15		0.20		0.25			

(2)制动器在制动状态下制动轮与制动带的接触面积标准、检验工具、位置见表3-3。

(3)联轴器安装标准、检验工具、位置见表3-4。CL型齿轮联轴器两轴的同轴度和端面间隙标准、检验工具、位置见表 3-5。CL2 型齿轮联轴器两轴的同轴度和端面间隙标准、检验工具、位置见表3-6。

(4)弹性圈柱销联轴器两轴的同轴度标准、检验工具、位置见表3-7。

表 3-3 制动器在制动状态下制动轮与制动带接触面积标准、检验工具、位置

项次	项目	允许偏差		检验工具	检验位置
		合格	优良		
1	制动轮与制动带的接触面积不小于总面积的	75%	80%	钢丝线、钢尺	接触面

表 3-4 CL 型齿轮联轴器两轴的同轴度和端面间隙标准、检验工具、位置

项次	项目	允许偏差(mm)					检验工具	检验位置
		联轴器外型最大直径 D						
		170 185 220 250	290 320 350 380 430 490 545 590	680 730 780	900 1000 1100	1250		
1	径向位移不应大于	0.4 0.65 0.8 1.0	1.25 1.35 1.6 1.8 1.9 2.1 2.4 3.0	3.2 3.5 4.5	4.6 5.4 6.1	6.3	百分表	中间轴两端的外齿轴套中心线的距离(mm)
2	倾斜度不应大于	30′						
3	端面间隙不应小于	2.5	5	7.5	10	15		

表 3-5 CL2 型齿轮联轴器两轴的同轴度和端面间隙标准、检验工具、位置

项次	项目	允许偏差(mm)					检验工具	检验位置
		联轴器外型最大直径 D						
		170 185 220 250	290 320 350 380 430 490 545 590	680 730 780	900 1000 1100	1250		
1	径向位移不应大于	$0.00873A$					百分表	中间轴两端的外齿轴套中心线的距离(mm)
2	倾斜度不应大于	30′						
3	端面间隙不应小于	2.5	5	7.5	10	15		

表 3-5 中,A 为中间轴两端联接的外齿轴套齿中心线间的距离(mm)。推荐用下式近似值:

$$A=A'-1.5L$$

式中　A'——中间轴的长度;

L——外齿轴套的长度。

表 3-6 弹性圈柱销联轴器两轴的同轴度标准、检验工具、位置

项次	项目	允许偏差(mm)				检验工具	检验位置
		联轴器外型最大直径 D					
		105~170	190~260	290~350	410~500		
1	径向位移不应大于	0.14	0.16	0.18	0.20	百分表	
2	倾斜度不应大于	40′					

(5)弹性圈柱销联轴器间的端面间隙标准、检验工具、位置见表 3-7。

表 3-7 弹性圈柱销联轴器间的端面间隙标准、检验工具、位置　　　(单位：mm)

项次	项目	轴孔直径 d	标准型			轻型			检验工具	检验位置
			型号	外型最大直径 D	允许值	型号	外型最大直径 D	允许值		
1	端面间隙	25~28	B_1	120	1~5	Q_1	105	1~4	塞尺	联轴器端面
		30~38	B_2	140	1~5	Q_2	120	1~4		
		35~45	B_3	170	2~6	Q_3	145	1~4		
		40~55	B_4	190	2~6	Q_4	170	1~5		
		45~65	B_5	220	2~6	Q_5	200	1~5		
		50~75	B_6	260	2~8	Q_6	240	2~6		
		70~95	B_7	330	2~10	Q_7	290	2~6		
		80~120	B_8	410	2~12	Q_8	350	2~8		
		100~150	B_9	500	2~15	Q_9	440	2~10		

(6)桥架和大车行走机构安装标准、检验工具、位置见表 3-8。

表 3-8 桥架和大车行走机构安装标准、检验工具、位置

项次	项目	允许偏差(mm)		检验工具	检验位置
		合格	优良		
1	大车跨度 L	±5	±4	钢丝线、垂球、钢尺、钢板尺、水准仪、经纬仪；测量跨度时，尚需按有关规范用修正值予以修正	
△2	大车跨度 L_1、L_2 的相对差	5	4		
△3	桥架对角线 L_3、L_4 的相对差：箱形梁　单腹板和桁架梁	5　10	4　8		

项次	项目	允许偏差 (mm) 合格	允许偏差 (mm) 优良	检验工具	检验位置
△4	大车车轮垂直倾斜 Δh(只许下轮缘向内偏斜)	$\dfrac{h}{400}$	$\dfrac{h}{450}$	钢丝线、垂球、钢尺、钢板尺、水准仪、经纬仪；测量跨度时，尚需按有关规范用修正值予以修正	
△5	对两根平行基准线每个车轮水平偏斜(同一轴线一对车轮的偏斜方向应相反) x_1-x_2；x_3-x_4 y_1-y_2；y_3-y_4	$\dfrac{l}{1\,000}$	$\dfrac{l}{1\,200}$		
△6	同一端梁上车轮同位差 $m_1=x_5-x_6$ $m_2=y_5-y_6$	3	2.5		
7	箱形梁小车轨距 T_0 跨端	±1			
	跨中 $L<19.5$m	+5 +1	+4 +1		
	$L \geqslant 19.5$ m	+7 +1	+6 +1		
	单腹板、偏轨箱形和桁架梁小车轨距 T_0	±3	±2.5		
△8	同一断面上小车轨道高低差 $T_0 \leqslant 2.5$ m 2.5 m$<T_0 \leqslant 4$ m $T_0>4$ m	3 5 7	2.5 4 6		
9	箱形梁小车轨道直线度(带走台时，只许向走台侧弯曲) $L<19.5$ m $L \geqslant 19.5$ m	3 4	2.5 3.5		

(7)小车行走机构安装标准、检验工具、位置见表3-9。

表3-9　小车行走机构安装标准、检验工具、位置

项次	项目	允许偏差(mm)		检验工具	检验位置
		合格	优良		
1	小车跨度 T $T \leqslant 2.5$ m $T > 2.5$ m	± 2 ± 3	± 1.5 ± 2.5	钢丝线、垂球、钢尺、钢板尺、经纬仪	
△2	小车跨度 T_1、T_2 的相对差 $T \leqslant 2.5$ m $T > 2.5$ m	2 3	1.5 2.5		
△3	小车轮对角线 L_3、L_4 的相对差	3	2.5		
4	小车轮垂直偏斜 Δh(只许下轮缘向内偏斜)	$\dfrac{h}{400}$	$\dfrac{h}{450}$		
5	对两根平行基准线每个小车轮水平偏斜	$\dfrac{l}{1\,000}$	$\dfrac{l}{1\,200}$		
6	小车主动轮和被动轮同位差	2	2		

第三节　门式启闭机安装检测技术

门式启闭机安装检测的一般规定和要求如下:

(1)门式启闭机出厂前,应进行整体组装和试运转,经检查合格后方可出厂。

(2)门式启闭机运到现场后,应对开式齿轮的侧、顶间隙,齿轮啮合接触斑点百分值,轴瓦、轴颈的顶、侧间隙,以及主梁的上拱度、旁弯度等进行复测,其结果应符合现行有关规范规定。

(3)门式启闭机电气设备安装试验质量等级评定见《发电电气设备安装工程(试行)》(SDJ249.5—88)中有关规定。

门式启闭机门腿安装标准、检测工具、位置见表3-10。

表 3-10　门式启闭机门腿安装标准、检测工具、位置

项次	项目	允许偏差(mm)		检验工具	检验位置
		合格	优良		
1	门腿高度 H	±5	±1	钢尺、垂球、钢板尺	
2	上下端间平面和侧向立面对角线： 　$H \leqslant 10\ m$ 　$H > 10\ m$	10 15	8 12		
3	门腿的倾斜度(两腿的倾斜方向对应)	0.5 mm/m	0.4 mm/m		

第四节　固定卷扬式启闭机安装检测技术

一、一般规定和要求

(1)卷扬式启闭机出厂前,应进行整体组装和试运转,经检查合格后方可出厂。

(2)卷扬式启闭机运到现场后,应对开式齿轮的侧、顶间隙,齿轮啮合接触斑点百分值,轴瓦与轴颈间的顶、侧间隙等进行复测,其结果应符合现行有关规范规定。必要时,应对设备进行分解、清扫、检查。

(3)卷扬式启闭机电气装置安装试验应符合《发电电气设备安装工程(试行)》(SDJ249.5—88)的有关规定。

二、无负荷试运转

无负荷试运转时,电气和机械部分应符合下列要求:

(1)电动机运转平稳,三相电流平衡。

(2)发电机设备无异常发热现象。

(3)控制器接头无烧损现象。

(4)检查调试限位开关,使其动作准确可靠。

(5)高度指示器指示正确,主令装置动作准确可靠。

(6)所有机械部件运转时,无冲击声和其他异常声音。

(7)各构件连接处无裂纹、松动或损坏现象,机箱无渗油现象。

(8)运行时,制动闸瓦全部离开制动轮,无任何摩擦。

(9)钢丝绳在任何情况下,不与其他部件碰到,定、动滑轮转动灵活,无卡阻现象。

三、静荷试运转

静荷试运转应符合下列要求:

(1)如有条件按 1.25 倍(或设计值要求)的额定负荷进行静负荷试验,则电气和机械部分应符合有关规定,制动器能制止 1.25 倍(或设计值要求)额定负荷的升降,其动作平稳、可靠,负荷控制器动作准确、可靠。

(2)无条件进行 1.25 倍(或设计要求值)的额定负荷试验,则可连接闸门做无水压和有水压全程启闭试验,其电气和机械部分应符合有关规定,制动器能制止住闸门升降,动作平衡、可靠,负荷控制动作应准确、可靠。

(3)如系快速闸门,快速关闭时间应符合设计要求。

另外,卷扬式启闭机中心、高程和水平的安装标准、检验工具、位置见表 3-11。

表 3-11　卷扬式启闭机中心、高程和水平的安装标准、检验工具、位置

项次	项目	允许偏差(mm)		检验工具	检验位置
		合格	优良		
△1	纵、横向中心线	3	2.5	经纬仪、水准仪、垂球、钢板尺	
2	高程	±5	±4		
△3	水平	0.5 mm/m	0.4 mm/m		

第五节　螺杆式启闭机安装检测技术

一、一般规定和要求

(1)螺杆式启闭机出厂前,应进行整体组装和试运转,经检查合格后方可出厂。

(2)螺杆式启闭机运到现场后,应对其主要零部件按现行有关规范要求进行复测,必要时,应对设备进行分解、清扫、检查。

(3)螺杆式启闭机电气设备安装试验质量等级评定及标准见《发电电气设备安装工程(试行)》(SDJ249.5—88)中有关规定。

二、无负荷试运转

无负荷试运转时,电气和机械部分应符合下列要求:

(1)手摇部分应转动灵活、平稳,无卡阻现象,手、电两用机构的电气闭锁装置应可靠。

(2)行程开关动作灵敏、准确,高度指示器指示准确。

(3)转动机构运转平稳,无冲击声和其他异常声音。

(4)电气设备无异常发热现象。

(5)机箱无渗油现象。

三、静负荷试运转

启闭机连接闸门后,做水压全程启闭试验,应符合下列要求:

(1)电气和机械部分应符合无负荷试运转的有关要求。

(2)对于装有超载保护装置的螺杆式启闭机,该装置的动作应灵敏、准确、可靠。

四、其他要求

(1)启闭机中心、高程和水平安装标准、检验工具、位置见表 3-12。

表 3-12　启闭机中心、高程和水平安装标准、检验工具、位置

项次	项目	允许偏差(mm)		检验工具	检验位置
		合格	优良		
△1	纵、横向中心线	3	2.5	经纬仪、水准仪、垂球、钢板尺	
2	高程	±5	±4		
△3	水平	0.5 mm/m	0.4 mm/m		

(2)螺杆铅垂度安装标准、检验工具、检验位置见表 3-13。

表 3-13　螺杆铅垂度安装标准、检验工具、检验位置

项次	项目	允许误差(mm)		检验工具	检验位置
		合格	优良		
1	螺杆与闸门连接前沿垂度	0.2	0.2	经纬仪、水准仪、垂球、钢板尺	

第六节　油压启闭机安装检测技术

一、一般规定和要求

(1)油压启闭机出厂前应进行整体组装和试验,经检查合格后方可出厂。

(2)油压启闭机运到现场后,根据规范规定并结合到货设备具体情况,对其本体和油压元件进行检查、分解、清洗、试压。

(3)油压启闭机电气装置安装试验质量标准按《发电电气设备安装工程(试行)》(SDJ249.5—88)有关规定,电接点压力表的电气接点整定值应符合现行有关规范或设计图纸规定。

(4)油桶和油箱的渗油试验和管路安装质量按《水力机械辅助设备安装工程(试行)》(SDJ249.4—88)中有关规定。

二、试运转

试运转应符合下列要求:

(1)无负荷试运转 30~40 min,油泵无异常现象。

(2)在 25%、50%、75%、100%的工作压力下分别连续运转 15 min 和在 1.1 倍额定压力下动作排油时,应无剧烈振动、杂音、温升过高等现象。

(3)主令控制器动作准确、可靠,高度指示器指示准确。

(4)快速关闭时间符合设计图纸要求。

第四章 水轮发电机组设备出厂检验

对于额定容量为 10~300 kW 的混流式和轴流式水轮发电机组及其附属设备,制造质量出厂检验可根据本章下面规定。

第一节 制造质量检验的依据、机构职责

一、制造质量检验的依据

(1)经济合同及其所附的产品技术规范书和在合同中指定的专业标准。

(2)有关水轮机、水轮发电机及其附属设备的国家标准。

(3)制造厂的设计元件和制造图纸。

(4)其他双方认可的有关标准。

二、出厂检验机构与职责

(1)对合同产品制造质量实行全面监督。

(2)参与或了解重要部件的原材料、铸锻件的材质检验和元器件的筛选检验。

(3)了解重要部件的加工、焊接和热处理工艺以及保证质量的措施,并参与质量检查和签证。

(4)参与主要部件的试验与装配。

(5)了解产品的设计修改和对质量问题的处理情况,除锈、油漆(漆装)、包装、运输。

第二节 水轮机质量检验要求

一、检验依据

水轮机产品的检验除应符合上述规定外,还应符合下列标准:

(1)《水轮机基本技术规范》(DL445—91)。

(2)《水轮机通流部件验收标准》。

二、检验项目

(一)尾水管里衬

(1)整理制作的尾水管里衬应测量上、下管口直径、圆度、周长和高度。

(2)大型尾水管里衬组装后应测量各环节高度、直径以及内部加固情况。

(3)进人门应进行装配,检查各配合尺寸。

(二)转轮室

(1)铸焊件的缺陷及修补情况。

(2)抗空蚀层的补焊质量及加工后的厚度、粗糙度。

(3)中环内径、高度、粗糙度、焊缝质量以及有关配合尺寸等加工情况。

(4)上、中、下三环预装时，各部错口、螺孔的对位以及 x、y 线标记。

(三)座环

(1)与顶盖、底环配合面的相对高度、直径和平行度。

(2)分瓣座环应进行预装，检查合缝面间隙、错口、螺孔、销子等配合情况。

(3)固定导叶内、外切圆直径以及进口节距、高度，在工地组装的导叶，应检查导叶上、下平面和平行度。

(4)过流表面的平滑性及粗糙度。

(四)蜗壳

(1)电站第一台机组的焊接蜗壳，各节应在厂内预装，检查各节编号对装情况和焊缝检查记录，必要时可指定部位探伤抽查，以后各台可部分预装。

(2)检查各节开口、腰长、最高点与最低点的直径、最近点及进水管中心线与机组中心线的距离、接缝间隙及内壁错口，抽查各节中心偏差值。

(3)整体铸造蜗壳的水压试验和整体焊接蜗壳的水压试验。

(4)蜗壳进人门装配完整情况。

(五)机坑里衬

抽查上、下口圆度、垂直度、焊缝及加固情况。

(六)导叶

(1)导叶高度、过流面粗糙度及型线。

(2)导叶立面密封压板及螺钉配合情况。

(七)顶盖

(1)与座环配合段的高度、直径。

(2)止漏环内径及圆度。

(3)法兰下面与过流面的高度、尺寸及平行度。

(4)分瓣顶盖合缝面间隙。

(5)焊接顶盖的焊缝外观质量。

(6)抗磨板紧固情况及橡皮密封压板紧固情况。

(八)支持盖

(1)总高度及过流面光滑度。

(2)上平面至导轴承安装面高度及合缝面间隙。

(3)中锥底面与上平面距离，底端栓面直径及圆度。

(九)底环

(1)顶盖底环导叶轴孔同轴度。与座环配合面到过流面的高度和平行度。

(2)抗磨板紧固情况及过流面粗糙度。

(3)橡胶密封、压板紧固情况。

(十)导水机构厂内总装配

(1)导水叶端部总间隙及导叶全关时的立面间隙。

(2)导叶转动灵活性及导叶最大开口位置。

(3)导叶上轴颈与轴套间隙,与导叶关闭时立面接触位置。

(4)双连臂、杆长度偏差,及所有装配孔的对位及各部件编号情况。

(十一)混流式转轮及厂内装配试验

(1)与主轴配合止口直径,法兰平面端面跳动量及粗糙度。

(2)上、下止漏环直径及圆度。

(3)抗磨、抗空蚀部位的补焊质量、波浪度及粗糙度。

(4)叶片叶型及叶片进口角和出口角。

(5)叶片击水边平均开口偏差及叶片螺栓预装情况。

(6)叶片螺栓与转臂螺栓孔装配情况及叶片正面、背面的波浪度、粗糙度及叶片型。

(7)叶片外圆尺寸及圆度和叶片动作试验、密封渗漏试验。

(8)轴流式转轮厂内装配试验,及活塞与接力汽缸间隙。

(9)枢轴铜瓦间隙及顶紧环与螺栓卡阻情况。

(十二)主轴

(1)主轴长度、轴承段直径及粗糙度和主轴连接后同找摆度情况。

(2)上、下端面止口直径及端面跳动量。

(3)联轴螺栓与螺栓孔配合质量及互换情况。

(4)一字键选配尺寸或销钉选配情况。

(十三)导轴瓦

(1)瓦的内径和瓦面粗糙度及筒式瓦的油沟方向。

(2)轴承合金与瓦坯浇合质量及测温孔的加工深度。

(3)铬钢垫装配、压制情况。

(十四)接力器厂内总装

(1)与行程、缓冲行程有关的尺寸。

(2)耐压试验检查密封与活塞环渗漏情况。

(3)接力器动作试验并测定行程偏差。

(十五)附属设备的抽查

(1)真空破坏阀、空气阀密封面的渗漏试验及油箱渗漏试验。

(2)真空破坏阀动作试验并测定开口尺寸。

(3)蜗壳及尾水管排水阀接力器耐压试验。

(十六)其他项目

(1)检查导水机构装配部件对基准件中心的偏差,以及钻铰安装用定位销钉孔的情况。

(2)上、下固定止漏环与转动止漏环,如在厂内套装时,检查圆度及总间隙。

(3)转轮非加工面的平滑性检查及静平衡试验。

(4)分块瓦的顶瓦螺套压配、接触情况,螺栓与螺套配合情况。

(5)油盆、油箱、水箱等的渗漏试验及检查冷却器的耐压试验。

(6)轴承密封应总装检查各零件的配合尺寸和橡胶制品进行外观检查。

(7)分油器耐压试验。

(8)锁锭或锁锭配压阀动作试验。

(9)活塞杆防锈涂层质量。

(10)对重要部位的弹簧进行力特性试验抽查。

(11)提供以上各项检测的记录与试验报告。

第三节　水轮发电机检验依据与项目

一、检验依据

水轮发电机产品的检验除符合在制造厂检验依据的规定外，还应符合以下标准：

(1)《电机基本技术条件》(GB755—81)。

(2)《大中型水轮发电机基本技术条件》(SD152—87)。

(3)《大中型水轮发电机静止整流励磁系统及装置技术条件》(SD299—88)。

(4)《三相同步发电机的试验方法》(GB1029—80)。

二、检验项目

(一)定子

(1)对分瓣制造的定子，必须检查是否有明显的分瓣标记。

(2)分瓣定子各部合缝面间隙，包括定子机座合缝间隙、定子机座与基础板的间隙。

(3)定子铁芯的合缝间隙及合缝处槽底的错开情况以及线槽宽度。

(4)定子装配铁芯内径、圆度、高度及每段铁芯高度、压紧度及压紧后的波浪度。

(5)定子单根线棒采用水冷结构时，水压、流量及检漏试验。

(6)定子嵌线后线棒与槽的间隙，以及抽查线棒防晕层对铁芯的电位及线棒端部的形状位置。

(7)定子线棒的绑扎情况，接头间隙与焊接质量。

(8)定子整体或分瓣耐压试验和起晕电压。

(9)并头套采用环氧浇灌时，接头与绝缘盒的间隙、环氧填满度及固化情况。

(10)定子槽楔紧度，定子槽楔通风口与软芯通风沟的相对位置，槽楔与定子内圆表面高差。

(11)定子测温引线位置标记及嵌线后测温元件的完整性及对地绝缘。

(12)定子引出线与汇流母线接头接触面平整度及接触面积。检查汇流母线的成形尺寸。

(13)定子嵌线面必须清扫干净，检查喷漆质量。分瓣定子的引出线头和支持环应包装良好。

(二)转子

(1)转子磁轭冲片重量进行分类并加重量标准，然后包装出厂。

(2)第一台机组或新模具的转子磁轭，应进行选检，其定位销孔、螺孔应符合要求。

(3)磁轭冲片表面平整，无锈蚀、毛刺等。

(4)磁轭通风槽片的"衬口环"高度及焊缝、导风带的装配、焊缝质量均符合要求。

(5)转子的支架中心体与上、下端轴的配合尺寸和同轴度，连接面与轴线的垂直度或转子轮毂与主轴热套的配合尺寸。

(6)转子的支架中心体与支臂的合缝面间隙及转子支臂的挂钩高差。

(7)转子支臂键槽的弦距、键槽深度、宽度和倾斜度。

(8)转子支架的外圆与磁轭,选检内圆的实际径向尺寸。

(9)主轴长度及各配合部位的加工尺寸及粗糙度和轴系摆度及定位标记。

(10)转子支架的铸造和焊缝质量及转子连接件采用 M64 以上的螺栓时应进行预装配检查。

(11)磁轭键和磁极键加工尺寸及磁轭拉紧螺杆材质、平直度和直径公差。

(12)磁极铁芯的旁弯度和扭曲度及铁芯长度、磁极压板与铁芯的错牙情况。

(13)磁极线圈和托板在压紧情况下与铁芯的高差,及磁极装配后绝缘耐压试验。

(14)磁极铁芯与线圈之间必须清扫干净,并检查匝间短路情况及磁极称重编号。

(15)阻尼绕组焊接接头及磁极接头的检查。

(16)制动环的厚度、挂钩台阶的高度、径向宽度、摩擦面的粗糙度及沉孔深度。

(17)转子绕组引线在主轴上固定情况及风扇制造质量。

(18)集电环同轴度、圆度、刷握与电刷的配合。

(三)推力轴承和导轴承

(1)推力轴承和导轴承必须进行预装,对有高压油顶起装置的油管路、水冷瓦冷却水管路、油冷却器水管路均应进行预装,并按规定进行耐压试验。且油冷却器也应进行预装,并按规定进行耐压试验。

(2)弹性油箱材质检查及油槽应做煤油渗漏试验。

(3)弹性油箱支承的推力轴承,充油时检查油压、油温、弹性油箱变形连接管及止回阀的渗漏情况。

(4)轴承合金与壳体的结合情况及轴承合金化学成分分析,水冷瓦水压试验。

(5)高压油顶起的推力轴瓦油路通孔检查。

(6)推力瓦应进行研刮,如采用厚薄瓦结构时,还应对其厚薄瓦之间的接触面进行检查,及对推力轴承装配的总高度检查。

(7)托瓦或托盘的加工精度、硬度及粗糙度。

(8)推力头如需与主轴套装时,应检查推力头和卡环各配合面的加工尺寸及其形位公差。

(9)镜板锻件化学成分及其热处理后的硬度,镜板锻件毛坯质量检查。

(10)镜板的加工精度以及表面粗糙度及镜板与推力头同轴度,推力轴承的装配总高度检查。

(11)绝缘垫板的厚度。

(12)检查销钉的配合情况,并打上定位标记。

(13)在拆除压具的情况下,弹性油箱上的平面与底盘的平行度及内外侧高度。

(14)高压油顶起装置,单向阀进行高压及低压耐压试验。

(15)对弹簧支撑的推力轴承,检查弹簧材质的化学成分和机械性能。

(16)弹性圆盘支撑的推力轴承,检查圆盘材质、加工精度和圆盘球面硬度。

(四)机架

(1)机架预装,检查各缝面间隙、各有关配合尺寸和焊缝。

(2)推力轴承与支架合缝面间隙与同轴度。

(3)上机架与定子预装检查同轴度与合缝面间隙。

(五)制动器

(1)制动器应在厂内清扫干净后进行组装,然后用干净的同牌号油进行耐压试验。

(2)制动器动作灵活性和自动复位情况及制动器行程。

(3)制动器装配后的总高度。

(4)制动器耐压试验后,应将管口用丝堵封好,然后包装出厂。

(六)励磁机

(1)电枢外径及主极的内径和极间距。

(2)整流子的片间绝缘和表面粗糙度。

(3)励磁机在厂内总装及试验情况。

(4)电刷在刷握内滑动灵活情况。

(七)永磁机

(1)永磁机的传动轴如采用硬性连接时,检查法兰的垂直度。

(2)永磁机定子与转子的空气间隙。

(3)永磁机装配后的出厂试验。

(八)其他

(1)上、下挡风板预装及上、下灭火水管预装。

(2)上盖板和下风罩预装及各种阀门的耐压试验。

(3)当采用二氧化碳灭火时,对其探测装置进行灵敏度检查。

(4)各种冷却器耐压试验。

(5)提供各项检查记录和试验记录。

第四节　调速器及油压装置检验依据及项目

一、检验依据

调速器及油压装置出厂检验除应符合出厂检验标准的规定外,还应符合下列规定:

(1)《水轮机调速器与油压装置技术条件》(GB9652—88)。

(2)《汽轮机油》(GB2537—81)。

(3)《水轮机电液调节系统及装置技术规程》(SD295—88)。

二、机械液压调速器、电气液压调速器机械枢检验项目

(一)飞摆加工装配

(1)飞摆重块、螺栓、垫片的配重情况及钢带质量、轴向弹簧加工质量。

(2)飞摆与电动机连接同轴度。

(二)主配压阀、引导阀加工情况

(1)壳体整洁及涂装。

(2)活塞和衬套的材质、热处理、表面粗糙度、尺寸精度、形位公差。

(3)装配后，可动件灵活程度及活塞行程值。

(三)缓冲器加工装配

(1)缓冲器活塞、活塞缸、节流针塞等活动部件表面粗糙度、配合间隙及行程。

(2)装配后，可动件灵活程度。

(四)电液转换器加工装配

(1)十字弹簧加工质量及定变节流孔直径。

(2)活塞与壳体、衬套、喷油孔表面粗糙度、配合间隙、行程和搭迭量。

(3)装配后灵活程度。

(五)协联机构加工装配

(1)凸轮材质、表面粗糙度、热处理及形状加工准确度。

(2)凸轮定位安装精度。

(3)启动装置装配及启动角初步整定情况。

(4)按水头自动和手动调节协联机构装配灵活程度。

(5)检查机械柜主配压阀衬套及上隔板(飞摆电液转换器基座)的平行情况。

(6)检查机械柜其他机构的部件，表计、杠杆及管路等装配安装质量。

(六)飞摆特性试验

(1)检查静特性曲线的死区、非线性度及飞摆逸速试验情况。

(2)核对测速装置放大系数转速范围。

(七)缓冲器特性试验

(1)缓冲器从动活塞上、下动作后，回复到中间位置的准确度。

(2)缓冲器托板调整缓冲时间常数的范围。

(3)上、下两个方向的特性曲线对称性及其与理论衰减曲线的偏差。

(八)电液转换器特性试验

(1)活塞中间位置偏差。

(2)活塞上、下动作后回到中间位置的准确度及工作能力试验。

(3)检查其实际最大负载时，活塞中间位置受油压变化的影响。

(4)检查其带动实际最大负载时，输入电流或电压与输出机械位移特性曲线的非线性度和死区。

(九)各机械表计的检验

(1)永态反馈机构、变速机构。

(2)开度限制机构及轮叶转角指示。

另外，应检查电液伺服阀流量特性曲线的非线性度、死区零偏和零漂。

三、电气液压调速器的电气装置检验项目

(一)各单元特性试验

(1)测频回路特性曲线非线性度、转速死区、放大系数。

(2)按加速度调节的加速时间常数整定范围。

(3)综合放大回路输出特性。

(4)T_d=5 s 和 b_t=20%时的缓冲回路特性曲线。

(5)功率给定、频率给定输出特性。

(6)稳压电源的稳压范围和精度。

(7)电气协联关系曲线。

(8)成组调节、电气开度限制、按水头限负荷等回路特性。

(二)整定参数刻度校验

(1)转速指令信号及永态转差系数。

(2)空载运行和负载运行的整态转差系数、缓冲时间常数。

(3)加速时间常数。

(三)电气装置静特性

转速死区及最大非线性度、放大系数。

(四)其他项目

(1)枢体外观、元器件布置及配线检查。

(2)焊点及接插件质量检查。

(3)检查各变压器、继电器、仪表、电位计等试验整定情况。

(4)检查电气装置的温漂及电压漂移。

四、调速系统厂内试验检查项目

(一)电液转换器静特性试验

(1)检查投入振荡电流后的零漂应符合要求。

(2)检查各挡的振荡电流值与活塞振荡幅度。

(3)检查启动电流与活塞动作方向及行程。

(4)检查其带实际最大负载时的静特性曲线的非线性度、转速死区及放大区频率范围。

(二)电液伺服阀与中间接力器静特性试验

(1)检查投入振荡电流后的零漂应符合要求。

(2)检查电液伺服阀振荡电流值与中间接力器活塞振荡值。

(3)检查中间接力器全行开启、关闭时间调整范围。

(4)检查永态转差系数 b_p=6%时，中间接力器静特性曲线的非线性度、转速死区。

(三)调速系统静特性试验

(1)试验应分别在永态转差系数 b_p=3%、b_p=6%、b_p=9%三个参数下进行(其他参数 T_n=0，b_d=0%，T_d=0)。

(2)计算测至主接力器的转速死区 i_x、非线性度，校核最大行程的永态转差系数 b_s，并校验刻度偏差。

(四)具有双重调节的水轮机调速系统

(1)检查随动系统不准确度 i_a。

(2)检查实际与设计协联关系曲线的偏差。

(五)其他项目

(1)试验用油应按《汽轮机油》(GB2537—81)国家标准质量要求进行抽样检查。

(2)试验所用的仪表应符合规定。

(3)检查接力器在开度限制控限下的工作情况。

(4)检查自动、手动切换情况。

(5)调速系统设备厂内试验后,方可清扫喷漆,其机械柜主配压阀各通流孔口必须密封。

五、油压装置检验项目

(一)油冷却器

(1)冷却器安装情况。

(2)试验压力保持时间。

(二)旁通阀阀组加工装配

(1)活塞与缸体配合间隙、表面粗糙度、热处理。

(2)活塞行程和搭迭量及弹簧加工质量。

(3)可动零件灵活程度。

(三)螺旋泵电动机组联轴节联结

(1)油泵与电动机联轴节间隙。

(2)油泵与电动机两轴线偏心倾斜值。

(四)油压装置运转试验

(1)螺旋泵电动机组运转情况及阀组整定。

(2)旁通阀动作情况和螺旋油泵输油量。

(五)油压装置各油压和油位信号整定值校验

(1)压力信号器整定值及自动补气整定。

(2)回油箱油位信号整定。

(六)油压装置严密性试验

(1)检查储油气罐附件安装情况。

(2)试验压力保压时间及油压、油位下降值。

(七)其他项目

(1)回油箱依渗漏试验,检查焊缝质量。

(2)回油箱及储油气罐内壁清扫,检查涂漆质量。

(3)电动机出厂检验合格证。

(4)储油气罐焊缝检查与耐压试验。

(5)油泵运转后螺旋油泵应解体,检查螺旋杆、衬套的磨损情况。

(6)检验后,凡需拆开运输的部件、管路等,必须作出明显的标记,其通流孔应用堵板密封。

(7)检查油压装置各部件表面涂装的质量。

六、管路检验项目

(1)制造厂弯制的调速系统管路尺寸偏差、内部清扫及防锈情况。

(2)管路、阀门压力试验情况。

(3)管路阀门检查合格后,其孔口必须用堵板密封。

七、制造厂应提供的检查、试验记录

(1)回油箱渗漏试验检查记录。

(2)储油气罐焊缝探伤与压力试验检查记录。

(3)油冷却器压力试验记录。

(4)螺旋油泵加工、装配检查记录。

(5)电动机出厂检查合格证。

(6)螺旋油泵电动机组联轴节连接检查记录。

(7)螺旋油泵运转后检查记录。

(8)油压装置运转试验记录。

(9)油压装置各油位、油压、信号整定值检验记录。

(10)调速器主配压阀、引导阀加工装配试验检查记录。

(11)机械柜主配压阀衬套、上隔板的平行度记录。

(12)电液转换器、油缓冲器、离心飞摆特性试验记录。

(13)电气装置各单元试验记录及各整定校验记录。

(14)电气装置的输出特性及温度、时间、电压漂移等试验记录。

(15)调速器系统厂内试验记录。

第五节 进水阀检验范围、依据、项目

一、适用范围

适用于制造厂自制的及外购的进水阀。

二、检验依据

(1)《大中型水轮机进水阀门基本技术条件》(GB/T14478—93)。

(2)供需双方的技术协议。

三、蝴蝶阀检查项目

(一)阀体

(1)阀体材料的合格证明。

(2)阀体轴孔的加工尺寸误差、粗糙度和形位误差。

(3)阀体的水压试验记录及焊缝探伤记录。

(二)活门

(1)活门材质的合格证明。

(2)阀轴轴径的加工尺寸误差、粗糙度和形位误差。

(3)活门的水压试验记录及焊缝探伤记录。

(三)轴瓦

(1)轴瓦内、外圆的尺寸、误差和形位误差。

(2)轴瓦的材质合格证明。

(四)空气围带

(1)橡胶材质的机械物理性能试验记录。

(2)空气围带气密性试验的检查记录。

(五)蝴蝶阀装配

(1)蝴蝶阀装配开关的正确记录。

(2)蝴蝶阀动作灵活性记录及漏水试验记录。

四、球形阀检查项目

(一)阀体

(1)阀体材质证明及水压试验记录。

(2)阀体轴孔的加工尺寸误差、粗糙度及形位误差。

(二)活门

(1)活门的材质证明及焊缝探伤记录。

(2)阀轴轴径的加工尺寸、粗糙度及形位误差。

(三)前后止漏环

(1)止漏环的材质证明及与相配合的零件研磨情况。

(2)有关配合尺寸的检查记录。

(四)轴瓦

(1)轴瓦的材质合格证明。

(2)轴瓦内、外圆尺寸误差及形位误差。

(五)球形阀装配

(1)球形阀止漏环动作的灵活性和开关位置的正确性。

(2)球形阀漏水试验记录。

(六)操作接力器

(1)接力器行程检查。

(2)接力器水压试验记录及漏油试验记录。

(七)空气阀

(1)在无水状态下空气阀的行程。

(2)在额定压力下的渗漏试验。

(3)空气阀弹簧特性试验。

(八)旁通阀及管路

(1)旁通阀开关位置及动作灵活性。

(2)旁通阀的水压试验及密封试验和管路的水压试验。

(九)伸缩节

(1)伸缩节的组装记录。

(2)伸缩节的水压试验记录及连接管的水压试验。

第六节　可控硅励磁装置

一、检验依据

(1)《大中型水轮发电机静止整流励磁系统及装置技术条件》(SD299—88)。

(2)供需双方的技术协议。

(3)电子元件技术条件及制造厂的技术文件、制造设计图纸。

二、检验项目

(一)工艺检查

(1)柜体外观及元件布置、配线检查。

(2)焊点及接插件质量检查。

(二)电子元件

如分立元件、集成元件、可控硅等必须符合电子元件技术条件。

(三)绝缘电阻测定与介电强度试验

(1)所有元器件的安全距离检查。

(2)柜内带电部分的绝缘电阻测定及耐压试验。

(3)可能产生高压击穿的部件如脉冲变压器等,按双方协商的耐压值进行耐压试验。

(四)自动励磁调节器各单元静态特性检查

(1)基本工作单元的特性试验,包括量测特性、放大特性、移相特性、稳压特性、积分时间常数。

(2)除 PSS 外的附加单元,如过励限制、欠励限制、起励单元等的特性曲线,调差单元的调差特性。

(五)功率整流装置试验

(1)功率整流器均流系数测定及均压系数测定。

(2)功率整流器大电流温升试验。

(3)随同设备向用户提供各种有关试验和检验记录。

(六)其他项目

(1)小电流开环特性试验。

(2)控制、保护、信号回路动作试验。

(3)变压器、变流器的检查试验。

(4)风机噪音的测定。

(5)转子过电压保护动作整定值检查。

第七节　配套自动化元件

一、适用范围

适用于制造厂自制和外购的水轮发电机组自动化元件，制造厂外购的元件质量亦由制造厂负责。

二、检验依据

(1)《大中型水电机组自动化系统及元件基本技术条件》(GB11805—89)。

(2)在订货合同的技术协议中对元件提出的性能和质量要求。

(3)新产品的鉴定文件。

三、检查试验项目

(1)外观检查：元件表面的电镀层或化学覆盖层以及外观的完好性。

(2)电气元件绝缘电阻试验、耐压试验。

(3)液(气)压元件承压部件的水压强度和材料密封性试验。

(4)液压元件漏油量试验及元件动作试验。

(5)示流信号器动作试验。

(6)电磁铁动作试验及电磁阀动作试验。

(7)液位信号器动作试验。

(8)转速信号器动作试验及压力信号器动作试验。

(9)电极水位信号器与水位信号装置动作试验。

(10)油混水电极信号器与油混水信号装置动作试验。

(11)轴向位移信号装置动作试验。

(12)温度信号器动作试验。

第五章 水轮发电机组安装检测技术

为了加强水利水电基本建设工程质量管理，统一质量检验项目与方法，搞好工程质量，水轮发电机组安装检测必须按照以下依据：

(1)国家颁发的《水轮发电机组安装技术规范》(GB8564—88)。

(2)部颁施工验收规范、技术标准、质量管理制度和质量评定方法。

其适用范围如下：①单机容量为 3 MW 及以上。②水轮机为混流式、冲击式时，转轮名义直径 1.0 m 及以上。③水轮机为轴流式、斜流式、贯流式，转轮名义直径 1.4 m 及以上。④抽水蓄能可逆式机组和小型水轮发电机组。

第一节 立式反击式水轮机安装检测技术

一、一般规定

(1)大中型立式反击式水轮机按每台水轮机安装划分为一项扩大单元工程。以一项主要部件的安装划分为单元工程。对每项单元工程的主要项目必须逐项检验，一般项目可以采用抽检方式检验，并检查施工记录。

(2)有配合关系的部件在安装前应进行预装配式配合尺寸测量检查，超过允许误差应在安装前修正。

(3)埋件部件在安装调整后应加固牢靠，防止在混凝土填筑时产生位移、变形，对精密重要的部件应在混凝土浇筑时予以监测。

(4)安装用的装置性材料应符合设计要求，重要部位的材料应有出厂检验合格证或材质证明。

二、具体要求

(1)吸出管里衬安装检查项目、标准、方法见表 5-1。

表 5-1 吸出管里衬安装检查项目、标准、方法

项次	检查项目	允许偏差(mm)								检验方法
		合格				优良				
		转轮直径				转轮直径				
		≤3 000	>3 000 ≤6 000	>6 000 ≤8 000	>8 000	≤3 000	>3 000 ≤6 000	>6 000 ≤8 000	>8 000	
1	管口直径	±0.001 5D				±0.001D				挂钢琴线用钢卷尺检查
2	相邻管口内壁周长差	0.001L	10			0.0008 L	8			用钢卷尺检查
△3	上管口中心及方位	4	6	8	10	3	5	6	8	挂钢琴线用钢板尺检查
4	上管口高程	+8 0	+12 0	+15 0	+18 0	+5 0	+10 0	+10 0	+15 0	用水准仪、钢板尺检查

注： D 为管口直径设计值，mm；L 为管口周长，mm。

(2)蜗壳检查项目、标准、方法见表 5-2。

表 5-2 蜗壳检查项目、标准、方法

项次	检查项目		允许偏差(mm)		检验方法
			合格	优良	
△1	直管段中心与 Y 轴线距离		±0.003D	±0.002D	挂钢琴线用钢卷尺检查
△2	直管段中心高程		±5	±4	用水准仪、钢板尺检查
3	最远点高程		±15	±12	用水准仪、钢板尺检查
4	定位节管口与基准线		±5	±4	拉线用钢板尺检查
5	定位节管口倾斜值		5	4	吊线锤用钢板尺检查
6	最远点半径		±0.004R	±0.003R	用经纬仪放点检查
△7	焊缝射线探伤	环缝	Ⅲ级	Ⅲ级，一次合格率 80%以上	用射线探伤仪检查
		纵缝与蝶形边	Ⅱ级	Ⅱ级，一次合格率 80%以上	
△8	焊缝超声波探伤	环缝	Ⅱ级	Ⅱ级，一次合格率 85%以上	用超声波探伤仪检查
		纵缝与蝶形边	Ⅰ级	Ⅰ级，一次合格率 85%以上	

注：(1)D 为蜗壳进口直径，mm；R 为最远点半径设计值，mm。
(2)射线探伤按《钢焊缝射线照相及底片等级分类方法》(GB3323—82)规定的标准。
(3)超声波探伤按《钢制压力容器对接焊缝超声波探伤》(JB1152—81)规定的标准。

(3)基础环、座环安装检查项目、标准、方法见表 5-3。

表 5-3 基础环、座环安装检查项目、标准、方法

项次	检查项目	允许偏差(mm)								检验方法
		合格				优良				
		转轮直径				转轮直径				
		≤3 000	>3 000 ≤6 000	>6 000 ≤8 000	>8 000	≤3 000	>3 000 ≤6 000	>6 000 ≤8 000	>8 000	
△1	中心及方位	2.0	3.0	4.0	5.0	1.5	2.0	3.0	4.0	挂钢琴线用钢板尺检查
2	高程	±3.0				±2.0				用水准仪、钢板尺检查
△3	水平	每米不超过 0.07	每米不超过 0.05，径向最大不超过 0.60			每米不超过 0.05	每米不超过 0.03，径向最大不超过 0.50			用平衡梁、方型水平仪或水准仪、钢板尺检查
△4	转轮室圆度	+10%～-10%设计平均间隙				+8%～-8%设计平均间隙				挂钢琴线用测杆检查
△5	基础环、座环圆度(含同轴度)	1.0	1.5	2.0	2.5	0.5	1.0	1.5	2.0	挂钢琴线用测杆检查
6	各组合缝间隙	符合《水轮发电机组安装技术规范》(GB8564—88)第 2.0.6 条要求								用塞尺检查

(4)附件安装检查项目、标准、方法见表 5-4。

表 5-4　附件安装检查项目、标准、方法

项次	检查项目	允许偏差		检验方法
		合格	优良	
1	真空破坏阀、补气阀动作试验	符合设计要求		动作试验检查
2	蜗壳及尾水管排水阀，盘形阀接力器严密性耐压试验	符合《水轮发电机组安装技术规范》(GB8564—88)第 2.0.10 条要求		水压或油压试验检查
3	盘形阀阀座水平度	不超过 0.20 mm/m	不超过 0.15 mm/m	用方型水平仪检查
△4	盘形阀密封面间隙	不超过 0.05 mm	不超过 0.02 mm	用塞尺检查

(5)机坑里衬、接力器基础检查项目、标准、方法见表 5-5。

表 5-5　机坑里衬、接力器基础检查项目、标准、方法

项次	检查项目	允许偏差(mm)								检验方法
		合格				优良				
		转轮直径				转轮直径				
		≤3 000	>3 000 ≤6 000	>6 000 ≤8 000	>8 000	≤3 000	>3 000 ≤6 000	>6 000 ≤8 000	>8 000	
1	机坑里衬中心	5	10	15	20	5	8	12	15	用钢板尺检查
2	机坑里衬上口直径	±5	±8	±10	±12	±5	±5	±8	±10	用钢卷尺检查
△3	接力器里衬法兰垂直度	每米不超过 0.30				每米不超过 0.20				用方型水平仪检查
△4	接力器里衬中心及高程	±1.0	±1.5	±2.0	±2.5	±1.0	±1.5	±1.5	±2.0	挂钢琴线用钢板尺检查
5	接力器里衬与机组基准线平行度	1.0	1.5	2.0	2.5	1.0	1.5	1.5	2.0	挂钢琴线用钢板尺检查
6	接力器里衬中心至机组基准线距离	±3				±2				用钢卷尺检查

(6)转轮在装配、焊接及热处理后检查项目、标准、方法见表 5-6。

表 5-6　转轮在装配、焊接及热处理后检查项目、标准、方法

项次	检查项目		允许偏差		检验方法
			合格	优良	
1	分半转轮焊缝错牙		不超过 0.50 mm	小于 0.50 mm	用焊缝检验规检查
2	分半转轮组合缝间隙		符合《水轮发电机组安装技术规范》(GB8564—88)第 2.0.6 条要求		用塞尺检查
△3	分半转轮焊缝探伤		Ⅰ级	Ⅰ级，一次合格率 95%以上	用超声波探伤仪检查
4	转轮上冠法兰	下凹值	≤0.07 mm/m	≤0.06 mm/m	用直尺塞尺检查
		上凸值	≤0.04 mm/m	≤0.03 mm/m	
△5	转轮静平衡		符合《水轮发电机组安装技术规范》(GB8564—88)第 3.2.5 条要求		用静平衡专用工具检查
△6	转桨式转轮漏油量		符合《水轮发电机组安装技术规范》(GB8564—88)第 3.2.6 条要求		测定加压及未加压时的漏油量
7	与主轴法兰组合缝间隙		≤0.05 mm	≤0.04 mm	用塞尺检查
8	转轮叶片最低操作油压		≤15%工作油压	<15%工作油压	动作试验检查
9	连接螺栓伸长值		符合设计要求		用拉伸器或百分表检查
△10	转轮各部圆度及同轴度	工作水头小于 200 m：止漏环 / 止漏环安装面 / 叶片外缘	+10%～-10% 设计间隙值	+8%～-8% 设计间隙值	用测圆架检查
		引水板止漏圈 / 法兰护罩	+20%～-20% 设计间隙值	+15%～-15% 设计间隙值	
		工作水头等于及大于 200 m：上冠外缘 / 下环外缘	+5%～-5% 设计间隙值	+4%～-4% 设计间隙值	
		上梳齿止漏环 / 下止漏环	± 0.10 mm	± 0.08 mm	

注：超声波探伤按《钢制压力容器对接焊缝超声波探伤》(JB1152—81)规定的标准。

(7)导水机构预装和安装检查项目、标准、方法见表 5-7。

表 5-7　导水机构预装和安装检查项目、标准、方法

项次	检查项目		允许偏差(mm)								检验方法
			合格				优良				
1	各组合缝间隙		符合《水轮发电机组安装技术规范》(GB8564—88)第 2.0.6 条要求								用塞尺检查
△2	各止漏环圆度及同轴度		符合表 5-6 中第 10 项要求								挂钢琴线用测杆检查
△3	下锥体法兰止口与转轮室同轴度		转轮直径				转轮直径				挂钢琴线用测杆检查
			≤3 000	>3 000 ≤6 000	>6 000 ≤8 000	>8 000	≤3 000	>3 000 ≤6 000	>6 000 ≤8 000	>8 000	
			0.25	0.50	0.75	1.00	0.20	0.40	0.60	0.80	
4	导叶端部总间隙		不超过设计间隙								用塞尺检查
5	环形接力器支座：中心 / 水平		≤0.10 / ≤0.05 mm/m				≤0.08 / <0.05 mm/m				用千分表及方型水平仪检查
△6	导叶局部立面间隙	导叶高度	≤600	>600 ≤1 200	>1 200 ≤2 000	>2 000	≤600	>600 ≤1 200	>1 200 ≤2 000	>2 000	用塞尺检查
		无密封条导叶	0.05	0.10	0.13	0.15	0.05	0.08	0.10	0.12	
		带密封条导叶(不装)	0.15			0.20	0.10			0.15	

注：导叶立面间隙在钢丝绳捆紧或接力器油压压紧状态下测量。

(8)接力器安装调整检查项目、标准、方法见表5-8。

表5-8　接力器安装调整检查项目、标准、方法

项次	检查项目		允许偏差(mm)				检验方法
			合格		优良		
1	接力器连杆两端高差		≤1.0		<1.0		用钢板尺、方型水平仪检查
2	各组合缝间隙		符合《水轮发电机组安装技术规范》(GB8564—88)第2.0.6条要求				用塞尺检查
3	严密性耐压试验		符合《水轮发电机组安装技术规范》(GB8564—88)第2.0.6条要求				耐压试验检查
4	接力器水平度		≤0.10 mm/m		≤0.08 mm/m		用方型水平仪检查
5	两接力器活塞全行程偏差		≤1.0		<1.0		用钢板尺检查
6	接力器压紧行程值	直缸接力器	转轮直径				撤除油压测量活塞返回行程值
			≤3 000	>3 000 ≤6 000	>6 000 ≤8 000	>8 000	
		带密封条导叶	3~5	4~7	6~8	7~9	
		无密封条导叶	2~4	3~6	5~7	6~8	
		摇摆接力器 环形接力器	符合设计规定				导叶在全关位置,升压至50%工作油压,测量活塞移动值
7	刮板接力器转角		符合设计规定				在工作油压下全行程动作检查
8	刮板接力器漏油量		从进油腔串至排油腔油量小于单台油泵供油量的1/6				刮板在全开位置升压至工作油压检查

(9)转动部件安装检查项目、标准、方法见表5-9。

表5-9　转动部件安装检查标准、项目、方法

项次	检查项目		允许偏差(mm)								检验方法
			合格				优良				
			转轮直径				转轮直径				
			≤3 000	>3 000 ≤6 000	>6 000 ≤8 000	>8 000	≤3 000	>3 000 ≤6 000	>6 000 ≤8 000	>8 000	
1	转轮安装高程	混流式	±1.5	±2	±2.5	±3	±1.0	±1.5	±2	±2.5	用钢板尺或塞尺检查
		轴流式	+2 0	+3 0	+4 0	+5 0	+1.5 0	+2.5 0	+3 0	+4 0	
		斜流式	+0.8 0	+1.0 0			+0.5 0	+0.8 0			
△2	转轮径向间隙	工作水头	+20%~−20%实际平均间隙				+15%~−15%实际平均间隙				用塞尺检查
		工作水头 ≥200 m 外圆	+10%~−10%设计间隙				+8%~−8%设计间隙				
		迷宫环	±0.20				±0.15				
△3	主轴法兰间隙		≤0.05				≤0.04				用塞尺检查
4	连接螺栓伸长值		符合设计要求								用拉伸器或百分表检查
5	操作油管摆度	固定铜瓦	0.20				0.15				盘车检查
		浮动铜瓦	0.30				0.25				
6	受油器水平度		每米不超过0.05				每米不超过0.04				用方型水平仪检查
7	旋转油盆径向间隙		不小于70%设计值				不小于80%设计值				用塞尺检查
8	受油器对地绝缘		不小于0.5 MΩ								用兆欧表检查

(10)水导轴承、主轴密封检查项目、标准、方法见表5-10。

表 5-10　水导轴承、主轴密封检查项目、标准、方法

项次	检查项目		允许偏差		检验方法
			合格	优良	
1	轴瓦检查及研刮		符合《水轮发电机组安装技术规范》(GB8564—88)第3.6.1条要求,接触点1~2点/cm²	符合《水轮发电机组安装技术规范》(GB8564—88)第3.6.1条要求,接触点2点/cm²	外观检查及着色法检查
△2	轴瓦间隙	分块瓦 筒式瓦 橡胶瓦	± 0.02 mm 分配间隙的+20%~−20%以内 实测平均总间隙的10%以内		用塞尺检查
△3	轴承油槽渗漏试验		符合《水轮发电机组安装技术规范》(GB8564—88)第2.0.11条要求		外观检查
△4	轴承冷却器耐压试验		符合《水轮发电机组安装技术规范》(GB8564—88)第2.0.10条要求		水压试验检查
5	轴承油位		± 10 mm		用钢卷尺测量
6	检修密封充气试验		充气 0.05 MPa 无漏气		充气在水中检查
7	检修密封径向间隙		+20%~−20%设计间隙值		用塞尺检查
△8	平板密封间隙		+20%~−20%实际设计间隙值		用塞尺检查

第二节　灯泡贯流式水轮机安装检测技术

一、一般规定

(1)适用于单向和双向灯泡贯流式水轮机安装,轴伸式定浆和转浆贯流式水轮机安装可供参考。

(2)需在现场预装的部件,在翻转 90°吊装时应防止变形和倾覆,埋件部件在安装调整后应加固牢靠。混凝土应分层浇筑并控制上升速度以防止部件变形。

(3)有配合关系的部件在吊装前应进行预装或配合尺寸检查,超过允许偏差应在安装前修正。

二、具体要求

(1)尾水管安装检查项目、标准及检验方法见表 5-11。

表 5-11　尾水管安装检查项目、标准及检验方法

项次	检查项目	允许偏差(mm)						检验方法
		合格			优良			
		转轮直径			转轮直径			
		≤3 000	>3 000 ≤6 000	>6 000 ≤8 000	≤3 000	>3 000 ≤6 000	>6 000 ≤8 000	
△1	管口法兰最大与最小直径差	3	4	5	2	3	4	挂钢琴线用钢卷尺检查
△2	中心及高程	± 1.5	± 2.0	± 2.5	± 1.0	± 1.5	± 2.0	挂钢琴线用钢板尺检查
3	管口法兰至转轮中心距离	± 2.0	± 2.5	± 3.0	± 1.5	± 2.0	± 2.5	用钢卷尺检查
△4	法兰面垂直度及平面度	0.4	0.5	0.6	0.3	0.4	0.5	用经纬仪和钢板尺检查
5	相邻两节管口内壁周长差	不超过 10			不超过 8			用钢卷尺检查
6	各大节同心度	0.002D			0.001 5D			挂钢琴线用钢卷尺检查

注: D 为管内径设计值, mm。

(2)座环(管形壳)安装检查项目、标准、方法见表 5-12。

表 5-12 座环安装检查项目、标准、方法

项次	检查项目	允许偏差(mm)						检验方法
		合格			优良			
		转轮直径			转轮直径			
		≤3 000	>3 000 ≤6 000	>6 000 ≤8 000	≤3 000	>3 000 ≤6 000	>6 000 ≤8 000	
△1	中心及方位	2.0	3.0	4.0	1.5	2.0	3.0	挂钢琴线用钢卷尺检查
2	法兰至转轮中心距离	±2.0	±2.5	±3.0	±1.5	±2.0	±2.5	用钢卷尺检查
△3	前锥体法兰垂直度及平面度	0.4	0.5	0.6	0.3	0.4	0.5	用经纬仪和钢板尺检查
4	法兰圆度	1.0	1.5	2.0	0.5	1.0	1.5	挂钢琴线用钢卷尺检查
△5	内管形壳组合面高程	±0.8	±1.0	±1.5	±0.5	±0.8	±1.0	用水准仪、钢板尺检查
6	流道盖板基础框架中心至机组中心距	±5			±4			拉线用钢卷尺检查
7	接力器基础至基准线距离	±3			±2			用钢卷尺检查

(3)导水机构安装检查项目、标准及检验方法见表 5-13。

表 5-13 导水机构安装检查项目、标准及检验方法

项次	检查项目	允许偏差(mm)						检验方法
		合格			优良			
		转轮直径			转轮直径			
		≤3 000	>3 000 ≤6 000	>6 000 ≤8 000	≤3 000	>3 000 ≤6 000	>6 000 ≤8 000	
△1	内、外配水环法兰中心及方位	2.0	3.0	4.0	1.5	2.0	3.0	挂钢琴线用钢板尺检查
△2	法兰垂直度及水平面度	0.4	0.5	0.6	0.3	0.4	0.5	用经纬仪、钢板尺检查
3	导叶端部间隙	符合设计要求			符合设计要求			用塞尺检查
4	导叶立面间隙	局部不超过 0.25			局部不超过 0.20			用塞尺检查
5	调速环与顶盖间隙	符合设计要求,且上部大于下部 0.6 ~ 0.8						用塞尺检查

(4)轴承安装检查项目、标准、方法见表 5-14。

· 65 ·

表 5-14 轴承安装检查项目、标准、方法

项次	检查项目	允许偏差(mm)		检验方法
		合格	优良	
△1	镜板与主轴垂直度	0.05	0.04	用方型水平仪检查
2	分瓣推力盘组合缝	间隙不超过 0.05 错牙不超过 0.02	间隙不超过 0.05 错牙不超过 0.02	用塞尺检查
3	轴瓦与轴颈端面间隙	大于 60%接触面积	大于 70%接触面积	用着色法检查
4	轴瓦与轴承座配合承力面	符合设计要求		用塞尺检查
△5	轴瓦间隙	符合设计要求		用压缩法或用塞尺检查
6	下轴瓦与轴颈接触角	大于 60°		用着色法检查
△7	下轴瓦与轴颈接触点	1 ~ 3 点/cm^2		用着色法检查
8	轴承体各组合缝间隙	符合《水轮发电机组安装技术规范》 (GB8564—88)要求		用塞尺检查
9	轴承体对地绝缘	不低于 1 MΩ		用 1 000 V 摇表检查

(5)主轴及转轮安装检查项目、标准、方法见表 5-15。

表 5-15 主轴及转动部件检查项目、标准、方法

项次	检查项目		允许偏差(mm)		检验方法
			合格	优良	
△1	转轮耐压及动作试验		符合《水轮发电机组安装技术规范》(GB8564—88)要求		测定加压及未加压时的漏油量
2	转轮与主轴法兰组合缝间隙		0.05	0.04	用塞尺检查
3	受油器同轴度	固定瓦	不超过 0.10	小于 0.10	用盘车方法检查
		浮动瓦	不超过 0.15	小于 0.15	
△4	转轮与转轮室间隙		+20% ~ −20% 实际平均间隙	+15% ~ −15% 实际平均间隙	用塞尺检查
5	主轴平板密封间隙		+20% ~ −20%设计间隙		用塞尺检查

第三节 冲击式水轮机安装检测技术

一、一般规定

(1)适用于卧式冲击式水轮机安装、立式冲击式水轮机安装。

(2)安装工程开始前应对预埋的垫板、预留的基础螺栓孔等进行检查,超过允许偏差应进行处理。

(3)有配合关系的部件在吊装前应进行预装或配合尺寸检查,超过允许偏差应在安装前修正。

二、具体要求

(1)机壳安装检查项目、标准、方法见表5-16。

表 5-16　机壳安装检查项目、标准、方法

项次	检查项目	允许偏差(mm)		检验方法
		合格	优良	
1	机壳各组合缝	符合《水轮发电机组安装技术规范》(GB8564—88)要求		用塞尺检查
2	机壳中心	不超过1.0	不超过0.8	拉钢琴线用钢板尺检查
3	机壳中心高程	±2.0	±1.5	用水准仪、钢板尺检查
△4	机壳上法兰水平	每米不超过0.05	每米不超过0.04	用方型水平仪检查
5	双轮机组机壳相对高程差	不超过1.0	不超过0.5	用水准仪、钢板尺检查
△6	双轮机组中心距	0～1.0	0～0.5	用钢卷尺、弹簧秤检查

(2)喷嘴及接力器安装检查项目、标准、检验方法见表5-17。

表 5-17　喷嘴及接力器安装检查项目标准、检验方法

项次	检查项目	允许偏差(mm)		检验方法
		合格	优良	
1	喷嘴及接力器严密性试验	符合《水轮发电机组安装技术规范》(GB8564—88)要求		用水压或油压试验检查
△2	喷嘴动作试验			在接力器处于关闭侧用塞尺检查
△3	喷嘴中心与转轮节圆径向偏差	2.0	1.5	用专用工具检查
△4	喷嘴中心与水斗分刀轴向偏差	±1.0	±0.8	用专用工具检查
5	偏流器中心与喷嘴中心距	不超过4.0	小于4.0	用专用工具检查
6	缓冲器弹簧压缩长度与设计偏差	±1.0	±1.0	在压力机上检查
7	各喷嘴行程的不同步偏差	不超过2%设计量	小于2%设计值	录制关系曲线检查
8	喷嘴角度偏差	±0.5°	小于0.5°	用专用工具检查

(3)转轮安装检查项目、标准、检验方法见表5-18。

表 5-18　转轮安装检查项目、标准、检验方法

项次	检查项目	允许偏差(mm)		检验方法
		合格	优良	
1	主轴水平或垂直度	每米不超过0.02	每米小于0.02	用方型水平仪检查
2	转轮端面跳动量	每米不超过0.05	每米小于0.04	盘车用百分表检查
△3	转轮与挡水板间隙	符合设计要求		用配重法检查
4	转轮静平衡试验	4～10		用塞尺检查
5	止漏装置与主轴间隙	+40%～−40%实际平均间隙		用塞尺检查

(4)控制机构安装检查项目、标准、检验方法见表5-19。

表 5-19　控制机构安装检查项目、标准、方法

项次	检查项目	允许偏差(mm)		检验方法
		合格	优良	
1	各元件中心	2.0	1.5	拉线用钢板尺检查
2	各元件高程	±1.5	±1.5	用水准仪、钢板尺检查
△3	各元件水平或垂直度	每米不超过0.10	每米不超过0.08	用方型水平仪检查
△4	偏流器与喷件协联关系	不超过2%设计值		录制关系曲线检查
△5	紧急停机模拟试验	符合设计要求		记录喷针与偏流器自全开至全并动作时间

第四节　立式水轮发电机安装检测技术

一、一般规定

(1)大中型立式水轮发电机以主要部件安装为单元工程,以每台水轮发电机安装为一项,其中主要项目和电气试验项目必须逐项检查,一般项目可以以抽检方式检查。

(2)有配合关系的部件在安装前应进行预装或配合尺寸检查,超过允许偏差应在安装前修正。

(3)安装前应对基础预埋件进行检查,其高程偏差不超过 0 ~ –5 mm,中心和分布位置偏差不超过 10 mm,水平偏差不超过 1 mm/m。

二、相关规定

(一)水轮发电机电气部分

水轮发电机电气部分的检查项目应符合下列要求:

(1)发电机定子在冷态下单个线棒的直线段宽度及铁芯槽宽应符合设计规定。

(2)定子线棒嵌装前抽查 5% ~ 10% 单根线棒的表面电阻率,起晕电压不低于 1.2 倍额定线电压。

(二)定子线圈嵌装

定子线圈嵌装应符合下列要求:

(1)上、下端部与已装线圈高度一致,斜边间隙符合设计要求,线棒固定牢固。

(2)上、下层线圈接头错位不大于 5 mm,前后距离偏差应在头套长度范围内。

(3)圈线在槽内单侧间隙不大于 0.3 mm,间隙长度不大于 100 mm。

(三)定子线圈接头焊接

定子线圈接头焊接应符合下列要求:

(1)铜线与并头套间隙一般不大于 0.3 mm,局部间隙不超过 0.5 mm,银磷铜焊头的填料间隙在 0.05 ~ 0.2 mm 之间。

(2)接头焊接后表面光滑，无棱角、气孔及空洞。

(3)接头焊接后测量直流电阻，最大最小值之比不超过 1.2。

(四)定子线圈接头绝缘

定子线圈接头绝缘包扎应符合下列要求：

(1)绝缘材料及包扎厚度符合设计要求，包扎密实。

(2)环氧树脂浇灌接头与绝缘盒间隙、搭接长度应符合设计要求，应浇灌饱满，无气泡、分层及裂纹。

(3)新旧绝缘搭接长度应大于表 5-20 的数值。

表 5-20　绝缘搭接长度

发电机额定电压(kV)	6.3	10.5	13.8	15.75	18.0
搭线长度(mm)	25	30	40	45	50

(五)定子支持环连接与包扎

定子支持环连接与包扎应符合下列要求：

(1)支持环圆度及高度应符合设计要求。

(2)焊接接头用非磁性材料，焊后表面修平。

(3)接头绝缘包扎紧密，搭接长度应大于表 5-20 规定数值。

(六)定子汇流母线安装

定子汇流母线安装应符合下列要求：

(1)螺栓连接接头应镀锡，用 0.05 mm 塞尺检查，母线宽度在 60 mm 及以上时，塞入深度不超过 6 mm；母线宽度在 60 mm 以下时，塞入深度不超过 4 mm。

(2)焊接接头无气孔、夹渣，表面光滑，其直流电阻值一般不大于同长度母线的电阻值。

(七)发电机转子磁极接头连接

发电机转子磁极接头连接应符合下列要求：

(1)接头错位不超过接头宽度的 10%。

(2)锡焊接头焊接饱满，外观光洁。

(3)螺栓连接接头接触紧密，用 0.05 mm 塞尺检查，塞入深度不超过 5 mm。

(4)接头绝缘包扎符合设计要求，接头与接地导体之间距离大于 10 mm。

(八)其他规定

(1)发电机测温装置布置正确，温度计应经校验，温度计测温开关标号与所测部位标号一致。

(2)励磁系统中用螺栓连接的母线接头用 0.05 mm 塞尺检查，塞入深度不超过 5 mm。

(3)定子线圈测温端子板有 0.3 ~ 0.5 mm 的放电空气间隙。

(4)励磁机电刷位置正确，电刷在刷握内滑动灵活，刷握与整流子表面应有 2 ~ 3 mm 间隙，各组刷握间距应小于 1.5 mm。

(5)水轮发电机各部绝缘电阻应符合相关规范要求。

(6)整流子各片间绝缘应低于整流子表面1~1.5 mm。

三、具体要求

(1)上、下机架组合及安装检查项目、标准、检验方法见表5-21。

表5-21　上、下机架及安装检查项目、标准、检验方法

项次	检查项目	允许偏差(mm)		检验方法
		合格	优良	
1	各组合缝间隙	符合《水轮发电机组安装技术规范》(GB8564—88)第2.0.6条要求		用塞尺检查
2	挡风板、消火水管与定子线圈及转子风扇距离	0~+20%设计值	0~+10%设计值	用钢卷尺检查
3	分瓣式推力轴承支架平面度	不超过0.20	不超过0.15	用钢板尺及塞尺检查
△4	机架中心	1.0	0.8	挂钢琴线用测杆检查
△5	机架水平	每米不超过0.10	每米不超过0.08	用方型水平仪检查
6	机架高程	±1.5	±1.0	用水准仪、钢板尺检查
7	机架与基础板组合缝	符合《水轮发电机组安装技术规范》(GB8564—88)第2.0.6条要求		用塞尺检查

(2)转子吊装检查项目、标准、方法见表5-22。

表5-22　转子吊装检查项目、标准、方法

项次	检查项目	允许偏差(mm)		检验方法
		合格	优良	
△1	转子轮环下沉与恢复值	符合设计规定		用测量架及百分表检查
△2	镜板水平度	每米不超过0.02		用方型水平仪检查
3	推力头卡环轴向间隙	小于0.03		用塞尺检查
△4	空气间隙	+10%~−10%平均间隙	+8%~−8%平均间隙	用塞尺检查

(3)定子安装检查项目、标准、检验方法见表5-23。

表5-23　定子安装检查项目、标准、检验方法

项次	检查项目	允许偏差(mm)		检验方法
		合格	优良	
1	定子机座组合缝间隙	局部不超过0.10，螺栓周围不超过0.05		用塞尺检查
△2	定子铁芯合缝间隙	加垫后无间隙，线槽底部径向错牙不超过0.50		用塞尺及钢板尺检查
3	机座与基础板组合缝	符合《水轮发电机组安装技术规范》(GB8564—88)第2.0.6条要求		用塞尺检查
△4	定子圆度(各半径与平均半径之差)	+5%~−5%平均间隙	+4%~−4%平均间隙	用测圆架或测杆检查
△5	定子铁芯中心高程	0~+0.4%铁芯有效长度值，且不超过6.0		用水准仪、钢板尺检查

(4)转子装配检查项目、标准、方法见表5-24。

表 5-24 转子装配检查项目、标准、方法

项次	检查项目		允许偏差(mm)						检验方法
			合格			优良			
△1	各组合缝间隙		符合《水轮发电机组安装技术规范》(GB8564—88)第2.0.6条要求						用塞尺检查
2	轮臂下端各挂钩高程差		1.0			0.8			用水准仪、钢板尺检查
3	轮臂各键槽弦长		符合设计要求						用钢卷尺检查
4	轮臂或槽径向和切向倾斜度		每米不超过0.30			每米不超过0.20			用方型水平仪检查
5	闸板径向水平度		0.50						用方型水平仪检查
△6	闸板周向波浪度		2.0			1.5			用水准仪、钢板尺检查
7	磁轭叠压系数		不小于0.99						用钢卷尺检查
8	磁轭平均高度		0～+10			0～+8			用钢卷尺检查
△9	磁轭周向高度偏差	磁轭尺寸	≤1 500	>1 500 ≤2500	>2 500	≤1 500	>1 500 ≤2500	>2 500	用水准仪、钢卷尺检查
		偏差	6	8	10	5	6	8	
10	磁轭在同一截面内外高度差		不大于5.0			不大于4.0			用水准仪、钢板尺检查
11	磁轭与磁极接触面		平直						用平尺检查
△12	磁轭圆度		+4%～-4%设计空气间隙			+3%～-3%设计空气间隙			用测圆架检查
13	磁极挂装	机组转速(r/min)	<300		300～500		>500		用磅秤称量
		不平衡重量(kg)	10		5		3		
14	磁极中心高程		铁芯长度小于或等于1.5 m时不大于±1.0,铁芯长度大于1.5 m时不大于±2.0						用水准仪、钢板尺检查
15	对称方向磁极高程差		机组转速在300 r/min及以上时不大于1.5						用水准仪、钢板尺检查
△16	转子圆度		+5%～-5%设计空气间隙			+4%～-4%设计空气间隙			用测圆架检查

(5)现场装配定子检查项目、标准、检验方法见表5-25。

表 5-25 现场装配定子检查项目、标准、检验方法

项次	检查项目	允许偏差(mm)		检验方法
		合格	优良	
1	各环板内圆半径	+2.0 -1.0		用测圆架检查
2	定位筋内圆半径	±0.50		用测圆架检查
3	定位筋弦距	±0.30	±0.25	用专用工具检查
△4	铁芯内圆半径	+3%～-3%设计空气间隙	+2.5%～-2.5%设计空气间隙	用测圆架检查
5	铁芯高度	±5.0		用钢卷尺检查
6	铁芯波浪度	10	8	用水准仪检查

(6)制动器安装检查项目、标准、检验方法见表 5-26。

表 5-26　制动器安装检查项目、标准、检验方法

项次	检查项目	允许偏差(mm)		检验方法
		合格	优良	
1	制动器严密性试验	持续 30 min 压降不超过 3%，活塞能自动复位		油压试验检查
△2	制动器顶面高程	± 1.0	± 0.8	用水准仪、钢板尺检查
△3	制动器与转子闸板间隙	+20% ~ −20%设计间隙	+15% ~ −15%设计间隙	用塞尺或钢板尺检查
4	制动器径向位置	± 3.0		用钢卷尺检查
5	制动系统管路试验	无渗漏		用油泵加压检查

(7)励磁机及永磁机检查项目、标准、方法见表 5-27。

表 5-27　励磁机及永磁机检查项目、标准、方法

项次	检查项目	允许偏差(mm)		检验方法
		合格	优良	
1	分瓣励磁机定子组合缝间隙	符合《水轮发电机组安装技术规范》(GB8564—88)第 2.0.6 条要求		用塞尺检查
2	主磁极及换向极铁芯内圆圆度	+2.5% ~ −2.5%设计空气间隙	+2% ~ −2%设计空气间隙	挂钢琴线用测杆检查
3	各磁极中心距(弦距)	2.0		用钢卷尺检查
△4	励磁机空气间隙	+5% ~ −5%平均空气间隙	+4% ~ −4%平均空气间隙	用塞尺检查
5	集电环水平度	2.0		用方型水平仪检查
6	永磁机空气间隙	+5% ~ −5%平均空气间隙	+4% ~ −4%平均空气间隙	用塞尺检查
7	永磁机中心	0.20		用百分表检查

(8)轴线调整检查项目、标准、方法见表 5-28。

表 5-28　轴线调整检查项目、标准、方法

项次	检查项目	允许值						
		合格						优良
△1	刚性盘车各部摆度	测量部位	转速(r/min)					小于合格数据 10%
			100	250	375	600	1 000	
		发电机上、下导及法兰(相对摆度，mm/m)	0.03	0.03	0.02	0.02	0.02	
		水导轴承(相对摆度，mm/m)	0.05	0.05	0.04	0.03	0.02	
		励磁机整流子(绝对摆度，mm)	0.40	0.30	0.20	0.15	0.10	
		集电环(绝对摆度，mm)	0.50	0.40	0.30	0.20	0.10	
△2	弹性盘车轴向摆度	测量部位	镜板直径(mm)					小于合格数据 10%
			<2 000	2 000 ~ 3 500		>3 500		
		镜板边缘(mm)	0.10	0.15		0.20		
3		多段轴轴线折弯(mm)	每米不超过 0.04					每米不超过 0.03

(9)定子线圈安装工艺过程交流耐压试验阶段标准见表 5-29。

表 5-29　定子线圈安装工艺过程交流耐压试验阶段标准

绕组型式	试验阶段	容量(kVA)		
		10 000 以下		10 000 及以上
		额定电压(kV)		
		10.5 及以下	6.0 以下	6.0 ~ 18.0
		试验标准(kV)		
圈式	嵌装前	2.75U	2.75U	2.75U+2.5
	嵌装后(打完槽楔)	2.5U	2.5U+2.5	2.5U+2.5
条式	嵌装前	2.75U	2.75U	2.75U+2.5
	下层线圈嵌装后	2.5U+0.5	2.5U+1.0	2.5U+2.0
	上层线圈嵌装后(打完槽楔)	2.5U	2.5U+0.5	2.5U+1.0

注：U 为发电机额定线电压，kV。

(10)推力轴承和导轴承安装检查项目、标准、检验方法见表 5-30。

表 5-30　推力轴承和导轴承安装检查项目、标准、检验方法

项次	检查项目	允许偏差(mm)		检验方法
		合格	优良	
△1	推力轴瓦研刮	每 1 cm² 内有 1 ~ 3 个接触点	每 1 cm² 内有 2 ~ 3 个接触点	用着色法检查
△2	推力轴瓦瓦面局部不接触面积	每处不大于 2%总面积，总和不大于 5%总面积		用着色法检查
3	导轴瓦研刮	每 1 cm² 内有一个接触点		用着色法检查
4	导轴瓦瓦面局部不接触面积	每处不大于 5%总面积，总和不大于 15%总面积		用着色法检查
5	盘车研刮推力轴瓦	无连点情况		用着色法检查
6	轴承油槽渗漏试验	符合《水轮发电机组安装技术规范》(GB8564—88)第 2.0.11 条要求		用煤油渗漏检查
7	油槽冷却器试验	符合《水轮发电机组安装技术规范》(GB8564—88)第 2.0.10 条要求		水压试验检查
8	水冷推力瓦试验	无渗漏		水压试验检查
9	高压油顶起装置试验	符合设计要求		油压试验检查
△10	高压油顶起装置单向阀试验	反向加压在 0.5、0.75、1.0 倍工作压力下停留 10 min 无渗漏		油压试验检查
11	高压油顶起状态各推力瓦与镜板间隙	不大于 0.02		用塞尺检查
12	转动部分与固定部分轴向、径向间隙	符合设计规定		用塞尺、钢板尺检查
13	分块导轴瓦间隙	± 0.20		用塞尺检查
△14	推力瓦受力调整各托盘变形值	+10% ~ −10%平均变形值	+8% ~ −8%平均变形值	用百分表检查
△15	推力瓦受力调整相同锤击力下大轴倾斜值	+10% ~ −10%平均变化值	+8% ~ −8%平均变化值	用百分表检查
△16	弹性油箱压缩量	不大于 0.20	不大于 0.15	用百分表检查
17	轴承油质	符合《汽轮机油》(GB2537—81)的规定		油化验检查
18	轴承油位	± 5.0		用钢板尺检查

(11)各种绝缘电阻值检查项目、标准、检验方法见表5-31。

表 5-31　各种绝缘电阻值检查项目、标准、检验方法

项次	检查项目	检测标准		检验方法
		绝缘电阻(MΩ)	测量仪器(兆欧表规格)	
1	推力轴承底座及支架	5	1 000 V	在底座及支架安装后测量
2	水冷瓦引水管路	50	1 000 V	与推力瓦连接前管内无水时单根测量
3	高压油顶起装置管路	10	1 000 V	与推力瓦连接前单根测量
4	推力轴承总体	1	1 000 V	轴承总装完，顶起转子充油前测量，温度在 10~30℃
5	推力轴承总体	0.5	500 V	轴承总装完，顶起转子充油后测量，温度在 10~30℃
6	推力轴承总体	0.02	500 V	转子落在轴承上，与固定部件断开时测量
7	测温装置总绝缘	0.5	500 V	安装完成后测量
8	埋入式温度计	50	500 V	充油前测量
9	受油器	0.5	500 V	尾水管无水时测量
10	永磁机机座	0.3	500 V	安装完成后测量
11	贯流式机组轴承	1	1 000 V	充油前测量
12	卧式机组轴承	0.3	500 V	充油前测量

(12)转子部件试验项目、标准见表5-32。

表 5-32　转子部件试验项目、标准

项次	项目		耐压标准(V)	绝缘电阻(MΩ)
1	单个磁极	挂装前	10 U +1 500，但不得低于 3 000	≥5
		挂装后	10 U +1 000，但不得低于 2 500	
2	集电环、引线刷架		10 U +1 000，但不得低于 3 000	≥5

(13)定子试验项目和标准说明见表5-33。

表 5-33　定子试验项目和标准说明

项次	项目	标准	说明
1	测量定子绕组的绝缘电阻	(1)用 2 500 V 及以上兆欧表测得的电阻值换算至 100 ℃时不应低于公式的数值：$$R = \frac{U_N}{1\,000 + \frac{S_N}{100}} (\text{M}\Omega)$$ (2)各相绝缘电阻不平衡系数不大于 2	
2	测量绝缘电阻吸收比 R_{60}/R_{15}	(1)对沥青云母绝缘不小于 1.3；(2)对环氧粉云母绝缘不小于 1.6	
3	测量定子绕组的直流电阻	(1)各相、各分支的电阻值校正引线误差后相互差别不应大于最小值的 2%；(2)与产品出厂时的测量数值相对变化不大于 2%	(1)在冷态下测量绕组表面温度与周围空气温度之差不超过 ±3℃；(2)采用压降法时通入电流不大于额定电流的 20%

项次	项目	标准			说明
4	定子绕组直流耐压试验及测量泄漏电流	(1)试验电压为 3 倍额定电压； (2)泄漏电流不应随时间延长而增大； (3)各相泄漏电流的差别不应大于最小值的 50%			(1)试验在冷态下进行； (2)试验电压按每级 0.5 倍额定电压分阶段或升压，每阶段停留 1 min； (3)机组升压前可按 2~2.5 倍额定电压做检查性试验
5	定子绕组交流耐压试验	容量 (kVA)	额定电压 (kV)	试验电压 (kV)	(1)交流耐压试验应分相进行，升压起始电压一般不超过试验电压值的 $\frac{1}{3}$，升压速度从 $\frac{1}{3}$ 至满值一般历时 10~15 s 为宜； (2)试验时间 1 min
		10 000 以下	10.5 及以下	$2U+1.0$	
		10 000 及以上	6.0 以下	$2.5U$	
			6.0~18.0	$2U+3.0$	
6	定子铁损试验	按 1 T 折算： (1)铁芯(齿)最高温升不超过 25 ℃；相互间最大温差不超过 15 ℃； (2)单位铁损符合制造厂规定； (3)定子铁芯压紧螺栓无松动现象			(1)制造厂已做过试验可以不做； (2)试验用 0.8~1.0 T 磁通密度，持续时间为 90 min； (3)应校正由于磁通分布不均匀引起的误差

注：U_N 为电动机额定线电压，V；S_N 为电动机额定容量，kVA；U 为发电机额定线电压，kV。

(14)转子试验项目、标准、检测方法及说明见表 5-34。

表 5-34 转子试验项目、标准、检测方法及说明

项次	项目	标准		检测方法及说明
1	测量转子绕组的绝缘电阻	一般不小于 0.5 MΩ		用 100 V 或 500 V 兆欧表
2	测量单个磁极的直流电阻	相互比较，其差别不超过 2%		通入电流不超过额定电流的 20%
3	测量转子绕组的直流电阻	与制造厂出厂时测量值比较相对变化不超过 2%		(1)在冷态下测量 (2)同时测量磁极接头接触电阻
4	测量单个磁极线圈的交流电阻	相互比较不应有显著差别		(1)在挂线后线圈连接前进行 (2)试验电压不应超过额定励磁电压
5	转子绕组交流耐压试验	额定励时电压 (V)	试验电压 (V)	(1)试验在组装完成转子吊入定子前进行 (2)整体到货的转子按出厂试验电压标准乘以 0.8
		≤500	10 U，但不得低于 1 500	
		>500	$2U+4\,000$	

(15)励磁机安装检查项目、标准、检验方法及说明见表 5-35。

表 5-35　励磁机安装检查项目、标准、检验方法及说明

项次	检查项目	标准	检测方法及说明
1	测量各绕组及刷架的绝缘电阻	不小于 0.5 MΩ	(1)用 1 000 V 或 500 V 兆欧表 (2)同时测量电枢绕组对轴和绑线的绝缘电阻
2	测量励磁绕组的直流电阻	测得值与制造厂出厂时测量值比较相差不超过 2%	
3	测量电枢整流片间直流电阻	相互差值不应超过最小值的 10%	由于均压线所产生的有规律的变化除外
4	检查绕组的极性及连接的正确性	极性和接线符合设计要求	
5	调整炭刷中性位置	位置正确，满足良好的换向要求	
6	交流耐压试验	0.8(2 U+1 000)，但不低于 1 200 V	

(16)永磁发电机及飞摆电动试验项目、标准、说明见表 5-36。

表 5-36　永磁发电机及飞摆电动试验项目、标准、说明

项次	项目	标准	说明
1	测量绕组的直流电阻	相互比较无显著差别	单项感应式永磁机无此项试验
2	检查相位	相位正确	
3	测量绕组的绝缘电阻	绝缘电阻值不作规定	用 1 000 V 兆欧表
4	交流耐压试验	0.8(2 U+1 000)，但不得低于 1 000 V	

第五节　卧式水轮发电机安装检测技术

一、一般规定和要求

(1)适用于与水轮机直接连接的卧式水轮发电机，以每台水轮发电机为一项扩大单元工程，以主要部件安装为单元工程。

(2)卧式水轮发电机以主要部件安装为质量检查单元。

(3)安装前应对基础预埋件进行检查，其高程偏差不超过 0 ~ –5 mm，中心和分布位置偏差不超过 10 mm，水平偏差不超过 1 mm/m。

(4)有配合关系的部件在安装前应进行预装或配合尺寸测量检查，超过允许偏差应在安装前修正。

(5)整体或现场组装的卧式水轮发电机应按现行有关规范要求进行电气部分检查和试验。

二、具体要求

(1)轴瓦研制及轴承安装的检查项目、标准、检验方法见表 5-37。

表 5-37　轴瓦研制及轴承安装检查项目、标准、方法

项次	检查项目		允许偏差(mm)		检验方法
			合格	优良	
1	轴瓦与轴承外表配合	圆柱面配合	60%以上	70%以上	用着色法检查
		球面配合	75%以上	80%以上	用着色法检查
△2	轴瓦与轴颈间隙	顶部	$0.3 \sim \dfrac{1}{1\,000}D$		用塞尺检查
		两侧	顶部间隙的一半		
		端部	实际间隙的+10%～-10%		用压沿法检查
3	下轴瓦与轴颈接触角		60°～90°		用着色法检查
△4	推力轴瓦接触面积		不小于75%总面积	不小于80%总面积	用着色法检查
△5	轴瓦与推力轴瓦接触点		1～3 点/cm²	2～3 点/cm²	用着色法检查
6	无调节螺栓的推力瓦厚度		±0.02		用 4 分尺检查
7	轴承座油室渗漏试验		符合《水轮发电机组安装技术规范》(GB8564—88)要求		煤油试验检查
△8	轴承座中心		0.10	0.08	挂钢琴线用内径千分尺检查
9	轴承座横向水平		每米不超过 0.20	每米不超过 0.15	用方型水平仪检查
△10	轴承座轴向水平		每米不超过 0.10	每米不超过 0.05	用方型水平仪检查
11	轴承座与基础板组合缝		符合规范要求		用塞尺检查

(2)转子及定子安装检查项目、标准、检验方法见表 5-38。

表 5-38　转子及定子安装检查项目、标准、检验方法

项次	检查项目		允许偏差(mm)		检验方法
			合格	优良	
△1	转子中心与水轮机中心同心度		0.04	0.02	用钢板尺、塞尺检查
△2	转子中心与水轮机中心倾斜		每米不超过 0.02		用塞尺检查
△3	空气间隙		+10%～-10%平均间隙	+8%～-8%平均间隙	用塞尺检查
4	定子与转子轴向中心		向励磁机端偏移 1～1.5		用钢卷尺检查
△5	各部摆度	各轴颈处	0.03	0.02	用百分表检查
		推力盘端面跳动	0.02		
		联轴法兰处	0.10	0.05	
		滑环整流子处	0.20	0.15	
6	推力轴承轴向间隙(主轴窜动量)		0.3～0.6		用塞尺检查
7	密封环与主轴间隙		0.20		用塞尺检查
8	风扇叶片与导风罩径向间隙		+20%～-20%平均间隙	+15%～-15%平均间隙	用塞尺检查
9	风扇叶片与导风罩轴向间隙		5.0		用钢板尺检查

第六节　灯泡式水轮发电机安装检测技术

一、一般规定

(1)适用于与水轮机直接连接的单向或双向灯泡式水轮发电机安装质量检查及主要部件安装检查。

(2)安装前应对基础预埋件进行检查,其高程偏差不超过 0～–5 mm,位置偏差不超过 10 mm。

(3)有配合关系的部件在安装前应进行预装或配合尺寸测量检查,超过允许偏差应在安装前修正。

(4)整体或现场组装的灯泡式水轮发电机应分别按现行有关规范要求进行电气部分检查和试验。

二、具体要求

(1)主要部件检查项目、标准、检验方法见表 5-39。

表 5-39　主要部件检查项目、标准、检验方法

项次	检查项目	允许偏差(mm)		检验方法
		合格	优良	
1	定子铁芯组合缝间隙	加垫后应无间隙,铁芯线槽底部径向错牙不大于 0.5		用塞尺检查
△2	定子机座组合缝间隙	局部不超过 0.10,螺栓周围不超过 0.05		用塞尺检查
△3	定子铁芯圆度	+5%～–5%空气间隙	+4%～–4%空气间隙	挂钢琴线用测杆检查
4	转子组装	与《水轮发电机组安装技术规范》(GB8564—88)要求相符		
5	机壳顶罩各法兰圆度	+0.1%～–0.1%设计直径且最大不超过 5.0		挂钢琴线用钢卷尺检查
6	顶罩各组合缝间隙	符合《水轮发电机组安装技术规范》(GB8564—88)要求		用塞尺检查
△7	机壳顶罩焊缝	按《钢制压力容器对焊接缝超声波探伤》(JBI152—81)Ⅱ级焊缝要求		用超声波探伤仪检查

(2)发电机整体安装检查项目、标准、检验方法见表 5-40。

表 5-40　发电机整体安装检查项目、标准、检验方法

项次	检查项目		允许偏差(mm)		检验方法
			合格	优良	
△1	空气间隙		+10%～–10%平均间隙	+8%～–8%平均间隙	用塞尺检查
△2	推力轴瓦间隙	单向	0.25～0.30		用塞尺检查
		双向	0.5～0.6		
△3	轴线盘车各部摆度	各轴颈处	0.02	0.02	用百分表检查
		推力头端面跳动联轴法兰处滑环处	0.05	0.04	
			0.10	0.08	
			0.20	0.15	
4	灯泡体下沉值		符合设计规定		用水准仪、钢板尺检查
5	挡风板与转子径向轴向间隙		0～+20%设计值	0～+15%设计值	用钢板尺检查
6	机组整体严密性试验		无渗漏现象		外观检查

第七节 调速器及油压装置安装检测技术

一、一般规定和要求

(1)适用于工作容量为 17 652 J(1 800 kgf·m)以上或主配压阀直径 80 mm 以上的机械液压调速器、电气液压调速器和油压装置安装,小型调速器及油压装置安装质量检验。

(2)以一台机组的调速系统为一项扩大单元工程,以主要部件的安装和调试及调速器整体安装质量检验。

(3)调速系统在机组试运转结束后应全部重新更换合格的操作用油。

(4)调速系统整体调试及模拟试验符合规范要求。

(5)调速系统充水后的调速试验应符合机组试运行的要求。

二、具体要求

(1)油压装置的安装及调试检查项目、标准、检验方法见表 5-41。

表 5-41 油压装置的安装及调试检查项目、标准、检验方法

项次	检查项目	允许偏差(mm)		检验方法
		合格	优良	
1	集油槽、漏油槽渗漏试验	保持 12 h 无渗漏		充水检查
△2	压油罐严密性试验	符合《水轮发电机组安装技术规范》(GB8564—88)第 2.0.10 条要求		油压试验检查
3	集油槽、压油罐中心	不超过 5.0	不超过 3.0	用钢卷尺检查
4	集油槽、压油罐高程	±5.0	±3.0	用水准仪、钢板尺检查
5	集油槽水平度	每米不超过 0.20	每米不超过 0.10	用水准仪、钢板尺检查
6	压油罐垂直度	每米不超过 2.0	每米不超过 1.0	挂线锤用钢板尺检查
7	事故配压阀中心及高程	±10	±5	用钢卷尺检查
8	事故配压阀法兰水平度	每米不超过 0.15	每米不超过 0.10	用方型水平仪检查
△9	油泵及电动机中心	0.08	0.05	用专用工具或塞尺检查
△10	油泵及电动机中心倾斜	每米不超过 0.20	每米不超过 0.15	用专用工具或塞尺检查
△11	油压装置压力整定值	+2% ~ -2%设计值	+1.5% ~ -1.5%设计值	用标准压力表检验
△12	油泵试运转	符合《水轮发电机组安装技术规范》(GB8564—88)第 6.1.5 条要求		动作试验检查
13	油压装置工作严密性	在工作压力下保持 8 h,油压下降值不超过 0.15 MPa		记录油位下降值换算检查
14	调速系统油质	符合《汽轮机油》(GB2537—81)的规定		做油化验检查

(2)调速器柜安装及调试检查项目、标准、检验方法见表 5-42。

表 5-42 调速器柜安装及调试检查项目、标准、检验方法

项次	检查项目	允许偏差(mm)		检验方法
		合格	优良	
1	调速器柜中心	5.0	3.0	用钢卷尺检查
2	调速器柜高程	±5.0	±4.0	用水准仪、钢板尺检查
3	调速器柜水平度	每米不超过 0.15	每米不超过 0.10	用方型水平仪检查
4	回复机构支座水平度	每米不超过 1.0		用方型水平仪检查
△5	离心飞摆摆度	不大于 0.04		用百分表检查
△6	缓冲器活塞回复位置	±0.02		用百分表检查
△7	缓冲时间	上下两回复时间之差不大于整定值的 10%		测量回复中间位置最后 1 mm 的时间
△8	缓冲特性曲线	符合设计要求		录制缓冲特性曲线检查
9	各指示器及杠杆位置	1.0		用游标卡尺检查
10	永态转差系数	符合《水轮发电机组安装技术规范》(GB8564—88)第 6.2.2 条的要求		用百分表检查
11	导叶及轮叶在中间位置时回复机构水平度	每米不超过 1.0		用方型水平仪检查
△12	电液转换器差动活塞位置	±0.02		用百分表检查
13	油压变化时电液转换器差动活塞位置	±0.05		用百分表检查
△14	电液转换器灵敏度	符合设计要求		录制特性曲线检查
15	电气回路绝缘检查	符合《电气装置安装工程及验收规范》(GBJ232—82)有关规定		用兆欧表检查
16	稳压电源输出电压	+1%～-1%设计值		用电压表检查
△17	电气调节器死区、放大系数及线性度	符合设计要求		录制关系曲线检查

(3)调速系统充水后的调整试验检查项目、标准、检验方法见表 5-43。

表 5-43 调速系统充水后的调整试验检查项目、标准、检验方法

项次	检查项目	允许偏差(mm)		检验方法
		合格	优良	
1	开度指示器红黑针位置	不重合不大于 2%全行程值		全行程动作检查
2	导叶接力器指示值	不大于 1%全行程值		全行程动作检查
3	轮叶接力器指示值	不大于 0.5°		全行程动作检查
4	导叶及轮叶紧急关闭时间	+5%～-5%设计值		动作试验检查
5	轮叶开启时间	+5%～-5%设计值		动作试验检查
6	事故关闭导叶时间	+5%～-5%设计值		动作试验检查
7	接力器行程与导叶开度曲线	符合《水轮发电机组安装技术规范》(GB8564—88)第 6.3.5 条要求		录制关系曲线检查
8	导叶与轮叶协联关系曲线	随动不准确度小于 1.5%全行程值		录制协联曲线检查
9	回复机构死行程	不大于 0.2%全行程值		全行程动作检查

项次	检查项目	允许偏差(mm)		检验方法
		合格	优良	
10	导叶及轮叶最低操作油压	不大于 16%额定油压		无水情况下动作试验检查
△11	永态转差系数及暂态转差系数	方向正确并与相应电位器刻度值相符合		动作试验检查
12	缓冲特性曲线	符合设计要求		录制特性曲线检查
△13	手自动切换	接力器摆动小于 0.2%全行程值		动作试验检查
14	测频回路关系曲线 $u = f$（Hz）	死区及线性度符合设计要求		检查关系曲线
15	电液转换器静特性曲线 $S = f(\Delta i)$	死区及放大系数符合设计要求		检查静特性曲线
△16	反馈送讯器关系曲线 $u = f(a)$	线性度符合设计要求		检查关系曲线
△17	调速系统静特性曲线	转速死区小于 0.05%		检查静特性曲线
18	模拟手动、自动开停机及紧急停机	动作应正常		动作试验检查

第八节　主阀及附属设备安装检测技术

一、一般规定和要求

(1)适用于水轮机进水主阀名义直径为 1 000 ~ 6 000 mm 的蝴蝶阀，500 ~ 2 400 mm 的球形阀及附属装置的安装质量检测。

(2)由每台机组的主阀、伸缩节及操作机构安装检测。

(3)安装前应对基础预埋件进行检查,其高程偏差不超过 0 ~ –5 mm,位置偏差不超过 10 mm。

(4)主阀的油压装置检验作为一项单元检查。

二、具体要求

(1)蝴蝶阀安装检查项目、标准、检验方法见表 5-44。

表 5-44　蝴蝶阀安装检测项目、标准、检验方法

项次	检查项目		允许偏差(mm)		检验方法
			合格	优良	
1	阀座与基础板组合		符合《水轮发电机组安装技术规范》(GB8564—88)要求		用塞尺检查
△2	阀体中心		±5	±4	挂钢琴线用钢板尺检查
3	阀体横向中心		15	12	用钢卷尺检查
△4	阀体水平度及垂直度		每米不超过 1.0	每米不超过 0.8	用方型水平仪检查
5	阀壳各组合缝		符合规范要求		用塞尺检查
6	橡胶水封充气试验		通 0.05 MPa 压缩空气无漏气		充气在水中检查
△7	活门关闭时间隙	充气状态	无间隙		用塞尺检查
		未充气状态	+20% ~ –20%设计值	+15% ~ –15%设计值	
△8	静水严密性试验		漏水量不超过设计量		测量漏水量

(2)球阀安装检查项目、标准、检验方法见表 5-45。

表 5-45 球阀安装检查项目、标准、检验方法

项次	检查项目	允许偏差(mm)		检验方法
		合格	优良	
1	阀座与基础板组合缝	符合《水轮发电机组安装技术规范》(GB8564—88)要求		用塞尺检查
△2	阀体中心	±5	±4	挂钢琴线用钢板尺检查
3	阀体横向中心	15	12	用钢卷尺检查
△4	阀体水平度及垂直度	每米不超过 1.0	每米不超过 0.8	用方型水平仪检查
5	阀体各组合缝	符合《水轮发电机组安装技术规范》(GB8564—88)要求		用塞尺检查
6	工作及检修密封间隙	不超过 0.05		用塞尺检查
7	活门与阀体间隙	符合设计要求		用塞尺检查
8	密封盖行程	不小于设计值的 80%		用钢板尺检查
△9	静水严密性试验	保持 30 min 漏水量不超过设计值		测量漏水量

(3)伸缩节安装检查项目、标准、检验方法见表 5-46。

表 5-46 伸缩节安装检查项目、标准、检验方法

项次	检查项目	允许偏差(mm)						检验方法
		合格				优良		
1	内外套伸缩距离	±6.0				±5.0		用钢板尺检查
△2	盘根槽宽度	钢管直径(m)				钢管直径(m)		用钢板尺检查
		≤2	2~3.5	3.5~5.5	>5.5	≤3.5	>3.5	
		2	3	4	6	2	4	

(4)附件及操作机构安装检查项目、标准、检验方法见表 5-47。

表 5-47 附件及操作机构安装检查项目、标准、检验方法

项次	检查项目	允许偏差(mm)		检验方法
		合格	优良	
1	液压阀、旁通阀、空气阀及接力器严密性试验	符合《水轮发电机组安装技术规范》(GB8564—88)要求		水压或油压试验检查
2	旁通阀垂直度	每米不超过 2.0	每米不超过 1.5	用方型水平仪检查
△3	接力器水平度或垂直度	每米不超过 1.0	每米不超过 0.8	用方型水平仪检查
4	接力器底座高程	±1.5	±1.0	用水准仪及钢板尺检查
5	接力器基础板中心	3.0	2.0	用钢卷尺检查
△6	动作试验(无水)	动作平稳活门在全开位置的开度偏差不超过 ±10		操作活门全程动作检查
7	主阀操作系统严密性试验	1.25 倍工作压力情况下 30 min 无渗漏		外观检查

第九节　机组管路安装检测技术

一、一般规定和要求

(1)机组管路以油、水、气等工作系统为单元，以一台机组的各系统管路组成一项扩大单元工程。

(2)分别按管件制作、管道安装、管道焊接及管道系统试验等分项进行质量检查。每个分项按组成该系统的管道长度每 50 m 检查两处、不足 50 m 检查一处的方式检验，检验部位由现场商定。

二、具体要求

(1)管件焊接质量检查项目、标准、检验方法见表 5-48。

表 5-48　焊接检查项目、标准、检验方法

项次	检查项目	允许偏差(mm)		检验方法
		合格	优良	
1	焊缝外观检查	符合符合《水轮发电机组安装技术规范》(GB8564—88)要求		外观检查及用样板尺检查
△2	重要焊缝无损检验(压力≥6 MPa)	符合Ⅱ级焊缝规定标准		按规定方法检查

(2)管件制作检查项目、标准、检验方法见表 5-49。

表 5-49　管件制作检查项目、标准、检验方法

项次	检查项目	允许偏差(mm)		检验方法
		合格	优良	
△1	管截面椭圆度	8%D	6%D	用外卡钳钢板尺检查
2	弯曲角度	每米不超过 3.0，且全长不超过 10	每米不超过 2.0，且全长不超过 8.0	用样板及钢板尺检查
3	折皱不平度	3%D	2.5%D	用外卡钳钢板尺检查
△4	环形管半径	±2%R		用样板及钢板尺检查
5	环形管平面度	±20	±15	拉线用钢板尺检查
6	三通管垂直度	2%H	1.5%H	用角尺及钢板尺检查
7	锥形管两端直径	±1%D		用钢卷尺检查

注：D 为管外径设计值，mm；R 为环管曲率半径设计值，mm；H 为三通支管高度，mm。

(3)管道安装检查项目、标准、检验方法见表 5-50。

表 5-50 管道安装检查项目、标准、方法

项次	检查项目	允许偏差(mm)		检验方法
		合格	优良	
△1	明设管平面位置 (每 10 m 内)	±10,且全长不超过 20	±8,且全长不超过 15	拉线用钢卷尺检查
2	明设管高程	±5	±4	用水准仪、钢板尺检查
3	立管垂直度	每米不超过 2.0,且全长不超过 15	每米不超过 1.5,且全长不超过 10	吊线锤用钢板尺检查
4	与设备连接的预埋管出口位置	±10		用钢卷尺检查

(4)管道的水压试验标准见表 5-51。

表 5-51 水压试验标准

项次	试验项目	试验性质	试验压力 (MPa)	试验时间 (min)	要求标准
△1	1.0 MPa 以上的管件及阀门	强度	1.5 P 并大于 0.4	10	无渗漏
2	1.0 MPa 以上的管件及阀门	严密性	1.25 P	30	无渗漏
3	系统管路	严密性	1.0 P	10	无渗漏

注：P 为额定工作压力，MPa。

第十节 水轮发电机组试运行的检查和试验

一、一般规定和要求

各类水轮发电机组的启动试运行检查和试验，各具体项目可依不同类型机组而有所变动，机组试运行检查和试验可划分为机组充水试验、机组空载试验和机组并列及负载下的试验三项。

二、检查试验项目和质量标准

(一)机组充水试验

1. 尾水管充水过程

尾水管充水过程检查下列部位应无异常：

(1)顶盖止漏面、真空破坏阀、水导主轴密封及顶盖检修入孔门的渗漏情况。

(2)尾水管进人门渗漏情况。

(3)检修排水廊道水位变化情况。

2. 蜗壳充水过程

蜗壳充水过程中检查下列部位应无异常，并进行下列试验：

(1)导叶轴套、蜗壳进人门漏渗情况应无异常。

(2)渗漏排水井水位变化情况。

(3)测量钢管伸缩节径向及轴向变形值，并检查漏水情况。

(4)进口工作闸门、蝴蝶阀、球阀在静水下启闭试验时间符合设计要求。

(二)机组空载试验

1. 机组首次手动开停机

机组首次手动开停机应进行下列检查和测试：

(1)记录启动开度、空载开度及上、下游水位。

(2)测量各部轴承瓦温、油温及水温，记录轴承油面波动情况。

(3)测量水导、上导摆度应小于轴承间隙，支持盖、上机架、推力支架、定子铁芯机座的振动值不超过表 5-52 的规定。

表 5-52　机组各部位振动的允许值

项次	项目		额定转速(r/min)			
			<100	100~250	250~375	375~750
			振动允许值(双振辐)(mm)			
1	立式机组	带推力轴承的支架垂直振动	0.10	0.08	0.07	0.06
2		带导轴承的支架水平振动	0.14	0.12	0.10	0.07
3		定子铁芯机座水平振动	0.04	0.03	0.02	0.02
4	卧式机组各部轴承振动		0.14	0.12	0.10	0.07

(4)记录水轮机各部位压力值和真空值。

(5)测定顶盖排水泵运行周期，检查水导主轴密封工作情况(漏水量)。

(6)测定油压装置油泵输油周期。

(7)测量手动运行时机组周波摆动值。

(8)测量永磁机电压和频率关系曲线，测量各相电压及相序。

(9)测量发电机残压及相序。

(10)检查自动控制回路和温度巡检回路，应正常工作。

(11)检查主(副)励磁机输出极性及电压调节情况。

(12)停机过程中检查转速继电器制动加闸整定值，记录加闸停机时间。

2. 手动、自动切换试验

进行手动、自动切换试验应符合下列要求：

(1)测定导叶接力器摆动值及摆动周期，接力器应无明显摆动。

(2)在自动调节状态下，机组转速波动相对值：对大型调速器不超过 ±0.15%，对中型调速器不超过 ±0.25%。

3. 空载扰动试验

空载扰动试验应符合下列要求：

(1)转速最大超调量不超过转速扰动量的 30%。

(2)超调次数不超过两次。

(3)调节时间符合设计规定。

4. 机组过速试验

机组过速试验应检查下列部位：

(1)测量机组各部摆度、振动值。

(2)测量各部轴承温度(瓦温、油温、水温)。

(3)校核整定过速保护装置的动作值。

(4)停机检查机组各部位应无异常。

5. 自动开、停机试验

自动开、停机试验应符合下列要求：

(1)检查开、停机中各程序是否正确。记录发出开机脉冲主转速达到额定值的时间及机组发出停机脉冲至停止转动的时间。

(2)高压油顶起装置应能自动投入及退出，油压正常。

(3)调速器及各自动化元件动作正确。

(4)转速降至规定时制动系统能正确动作。

6. 发电机短路升流检查和试验

发电机短路升流时应进行下列检查和试验：

(1)检查发电机保护及测量电压互感器二次电流应三相平衡，电气测量仪表指示正确，各继电器动作整定值正确。

(2)录制发电机三相短路特性曲线，在额定电流时测量发电机轴电压。

(3)在发电机 50%及 100%额定电流时跳灭磁开关，录制灭磁示波图，求取时间常数。

(4)励磁机整流子碳刷换向情况正常。

(5)进行自动励磁调节器的复励及调差部分的调整试验。

(6)模拟机组电气事故停机，检查停机程序。

7. 发电机定子检查性直流耐压试验

发电机定子检查性直流耐压试验应符合下列的规定：

(1)按 2～2.5 倍额定电压分相进行直流耐压。

(2)按 0.5 倍额定电压分级，每级停留 1 min，记录 1 min 后的泄漏电流值。

8. 发电机升压

发电机升压时进行下列检查和试验：

(1)分段升压，检查所有电压互感器二次测电压应三相平衡，相序及仪表指示应正确，各继电器端子电压正常。

(2)在发电机 50%及 100%额定电压下跳灭磁开关，录制灭磁示波图，求取时间常数。并在额定电压下测量发电机轴电压。

(3)检查机组摆度、振动值，应符合规定。

9. 发电机单相接地试验

检查保护继电器动作整定值，测量单相接地电容电流。对中性消弧线圈进行补偿检查，确定线圈轴头位置。

10. 发电机空载时的励磁调节器试验

发电机空载时的励磁调节器试验应符合下列要求：

(1)检查励磁装置处于手动位置时的起励情况，应工作正常。

(2)检查励磁装置手动和自动位置时的电压调整范围，最低可调电压值应符合设计要求。检查在各种工况下的稳定性和超调量。摆动次数一般为 2～3 次。对电机励磁超调量一般不超过 20%。对可控硅励磁超调量一般不超过 10%。

(3)测量励磁调节器的开环放大倍数。

(4)在等值负载情况下，录制励磁调节器各部特性。对于静止励磁装置，还应在额定转子电流情况下检查整流桥的均流系数和均压系数，应符合设计要求。设计无规定时，均流系数一般不小于 0.85，均压系数一般不小于 0.9。

(5)改变转速，测定发电机电压的变化值。频率每变化 1%，自动励磁调节系统应保证发电机电压变化符合下列要求：对半导体型，不超过额定电压的 ±0.25%；对电磁型，不超过额定电压的 2%。

(6)对可控硅励磁系统进行低励磁、过励磁、断线、过电压、均流等保护的模拟动作试验及调整，鞭动作应正确。

(7)对静止励磁装置模拟停机工况进行逆变灭磁试验。

(三)机组并列及负载下的试验

1. 机组负载下励磁调节器的试验

机组负载下励磁调节器的试验应符合下列要求：

(1)在各种负载工况下，调节过程稳定，调节范围满足运行需要。

(2)测定发电机电压差率，应符合设计要求。调差率整定范围分挡数不少于 10 点，调差特性应有较好的线性度。

(3)测定发电机电压静差率，应符合设计要求。设计无规定时，对半导体型不应大于 0.2%～1%，对电磁型不应大于 1%～3%。

(4)可控硅励磁调节器应进行各种限制器及保护的试验和整定。

2. 机组带负荷和甩负荷试验

机组带负荷及甩负荷试验应按额定值的 25%、50%、75%、100%分别进行，应检查下列各项并符合要求：

(1)机组运行正常，各仪表指示正确。

(2)甩 100%负荷时，发电机电压超调量不大于额定值的 15%～20%调节，时间不大于 5 s，电压摆动次数不超过 3～5 次。

(3)校核导叶接力器紧急关封时间、蜗壳水压上升率及机组转速上升率，均不应超过设计规定值。

(4)当甩 100%负荷时，超过额定转速 3%以上的波峰不超过两次。

(5)由机组解列开始到转速摆动不超过规定值的调节时间应符合设计要求。

(6)甩 25%负荷时，接力器不动时间应符合设计要求。

(7)转浆式水轮机协联关系应符合设计要求。

(8)测定机组转动部分运行情况。

3. 机组调相运行试验

机组调相运行试验应检查、记录下列各项：

(1)测定关闭导叶后机组带水空载下所消耗的功率。

(2)测定吸出管水位压至转轮以下后，机组所消耗的功率。

(3)检查机组发电工况与调相工况相互切换的动作程序的正确性,检查调相供气系统的工作情况,应正常。

(4)发电机的无功功率应能在设计范围内平稳调节,测定转子电流在额定值时的最大无功输出。

(5)检查主轴密封及水导橡皮瓦轴承的工作情况,应正常。

4. 其他项目

(1)手动及自动准同期试验,检查超前时间、调速脉冲宽度及电压差闭锁的整定值。

(2)额定负载或最大可能负载下低油压关闭导叶试验。检查停机程序及各部工作情况,应正常。

(3)模拟故障、事故配压阀关闭导叶试验,检查停机程序及各部工作情况,应正常。

(4)动水下关闭主阀或快速闸门试验。停机检查程序,测定动水下关闭主阀(快速工作阀门)的全行程时间。

(5)机组 72 h 带额定负荷连续运行试验。全面检查机组各部分的性能及附属设备、电气设备的运行情况。

(6)机组成组运行试验,检查负荷分配的稳定性。

第六章 水力机械辅助设备
安装工程检测技术

一、检测依据

(1)《金属结构及启闭机械安装工程》(SDJ249.2—88)。

(2)《水轮发电机组安装工程》(SDJ249.3—88)。

(3)《水力机械辅助设备安装工程》(SDJ249.4—88)。

(4)《发电电气设备安装工程》(SDJ249.5—88)。

(5)《升压变电电气设备安装工程》(SDJ249.6—88)。

(6)国家颁发的水利水电设备安装工程施工验收规范。

(7)部颁施工验收规范、工艺导则、技术标准、质量管理制度和质量评定办法。

二、适用范围

(1)总装机容量在 25 MW 及以上。

(2)单机容量在 3 MW 及以上。

总装机容量在 25 MW 以下的小型水电工程可参照执行。

三、一般规定和要求

以同一专业性质的设备划分单元工程,同类设备台数较多时可按同一工作压力等级来划分。

有多台同类设备可按该类设备的20%抽查,但不得少于1台该类设备。其余检查施工记录。

与辅助设备配套的电气装置的安装质量标准参考现行有关规范规定。

水力机械辅助设备安装工程质量等级需具备下列条件:

(1)设计及施工图纸、技术文件及各项施工记录齐全。

(2)施工单位质量监督机构齐全。

(3)安装的设备必须是合格产品,出厂检验记录齐全。

(4)检验质量所用的检测工具应经国家认可的计量检定单位的标定,并在计量标定的有效期内使用。

(5)隐蔽工程必须在工程隐蔽前检查合格,并作出记录。

(6)检验工程质量的组织按照原水利电力部颁发的《水利水电基本建设工程质量管理若干规定(试行)》有关条款执行。

第一节　辅助设备安装工程检测技术

一、辅助设备安装位置

各类辅助设备的安装位置、检查项目、标准、检验方法见表 6-1。

表 6-1　设备安装位置、检查项目、标准、检验方法

项次	检查项目	允许偏差(mm)		检验方法
		合格	优良	
1	设备平面位置	±10	±5	用钢卷尺检查
2	高程	+20 −10	+10 −5	用水准仪和钢板尺检查

二、整体安装的空气压缩机

整体安装的空气压缩机检查项目、标准、检验方法见表 6-2。

表 6-2　整体安装空气压缩机检查项目、标准、检验方法

项次	检查项目	允许偏差(mm)		检验方法
		合格	优良	
△1	机身纵、横向水平度	0.10 mm/m	0.08 mm/m	方型水平仪检查
2	皮带轮端面垂直度	0.50 mm/m	0.30 mm/m	方型水平仪及吊重垂线、钢板尺检查
3	两皮带轮端面在同一平面内	0.50	0.20	拉线用钢板尺检查

三、解体安装的空气压缩机

解体安装的空气压缩机检查项目、标准、检验方法见表 6-3。

表 6-3　解体安装空气压缩机检查项目、标准、检验方法

项次	检查项目	允许偏差(mm)		检验方法
		合格	优良	
△1	机身纵、横向水平度	0.05 mm/m	0.03 mm/m	方型水平仪检查
2	轴瓦背与轴承座接触面积	不小于 70%	不小于 85%	用着色法检查
3	对开式轴瓦与轴颈接触面积	不小于 60%		用着色法检查
△4	轴瓦与轴颈接触点	1～2 点/cm²	2～5 点/cm²	用着色法检查
△5	轴瓦与轴颈间隙	符合设计规定		用压铅法或塞尺检查
6	曲轴水平度	0.10 mm/m	0.08 mm/m	方型水平仪检查
△7	汽缸与机身组合缝	无渗漏，局部间隙不大于 0.05	无渗漏，局部间隙不大于 0.03	用塞尺检查后做水压试验检查
8	连杆大头瓦与曲柄销接触面积	不小于 70%		用着色法检查

项次	检查项目	允许偏差(mm)		检验方法
		合格	优良	
△9	连杆大头瓦与曲柄销接触点	1~2 点/cm²	2~3 点/cm²	用着色法检查
△10	连杆大头瓦与曲柄销间隙	符合设计规定		用压铅法或塞尺检查
11	连杆小头衬套与活塞销 (十字头销)接触面积	不小于 70%		用着色法检查
12	连杆小头衬套与活塞销 (十字头销)间隙	符合设计规定		用塞尺检查
13	十字头滑履与滑道接触面积	不小于 60%		用着色法检查
14	十字头滑履与滑道接触点	1~2 点/cm²	2~3 点/cm²	用着色法检查
15	十字头滑履与滑道间隙	符合设计规定		用塞尺检查
△16	活塞在汽缸上、下死点间隙	符合设计规定		用压铅法检查

四、空气压缩机试运转

各类空气压缩机试运转应符合下列要求。

(一)无负荷试运转

(1)无负荷试运转 4~8 h。

(2)润滑油压不低于 0.1 MPa。

(3)曲轴箱油温不超过 60 ℃。

(4)运动部件声音正常，无较大振动。

(5)各连接部件无松动。

(二)带负荷试运转

带负荷试运转按额定压力 25%运转 1 h，50%、75%各运转 2 h，额定压力下运转 4~8 h，除达到无负荷运转的要求外，还必须符合下列要求：

(1)无渗油、漏气、漏水现象。

(2)冷却水、排水温度不超过 40 ℃。

(3)各级排气温度和压力符合设计规定。

(4)各级安全阀动作压力正确，动作灵敏。

(5)自动控制装置灵敏可靠。

五、水泵

水泵安装检查项目、标准、方法及试运转的要求如下。

各类水泵在额定负荷下试运转不少于 2 h，必须符合下列要求：

(1)填料承压盖松紧适当，只有滴状泄漏。

(2)运转中无异常振动及响声，各连接部分不应松动及渗漏。

(3)滚动轴承温度不超过 25 ℃，滑动轴承温度不过超过 70 ℃。

(4)电动机电流不超过额定值。

(5)水泵压力、流量符合设计规定。

(6)深井水泵止退机构动作灵活可靠。

六、离心水泵

离心水泵安装检查项目、标准、检验方法见表 6-4。

表 6-4　离心水泵安装检查项目、标准、检验方法

项次	检查项目	允许偏差(mm)		检验方法
		合格	优良	
1	泵体纵、横向水平度	0.10 mm/m	0.08 mm/m	用方型水平仪检查
2	叶轮和密封环间隙	符合设计规定		用压铅法或塞尺检查
3	多级泵叶轮轴间间隙	大于推力头轴向间隙		用钢板尺、塞尺检查
4	主、从动轴中心	0.10	0.08	用钢板尺、塞尺或百分表检查
5	主、从动轴中心倾斜	0.20 mm/m	0.10 mm/m	用塞尺或百分表检查

七、深井水泵

深井水泵安装检查项目、标准、检验方法见表 6-5。

表 6-5　深井水泵检查项目、标准、检验方法

项次	检查项目	允许偏差(mm)		检验方法
		合格	优良	
1	各级叶轮与密封环间隙	符合设计规定		用游标卡尺测量检查
2	叶轮轴向间隙	符合设计规定		用钢板尺检查
△3	泵轴提升量	符合设计规定		用钢板尺检查
4	泵轴与电动机轴线偏心	0.15	0.10	用游标卡尺或钢板尺、塞尺检查
5	泵轴与电动机轴线倾斜	0.5 mm/m	0.2 mm/m	用钢板尺、塞尺检查
6	泵座水平度	0.10 mm/m	0.08 mm/m	用方型水平仪检查

另外,水泵轴的径向振动不超过表 6-6 的规定。

表 6-6　水泵轴的径向振动的允许值

转连(r/min)	750 ~ 1 000	1 000 ~ 1 500	1 500 ~ 3 000
径向振幅(双向)(mm)	不超过 0.10	不超过 0.08	不超过 0.06

八、油泵

各类油泵在无压情况下运行 1 h 及额定负荷的 25%、50%、75%、100%各运行 15 min,必须符合下列要求:

(1)运转中无异常振动及响声,各连接部分不应松动及渗漏。

(2)油泵外壳振动不大于 0.05 mm,油泵轴承处外壳温度不超过 60℃。

(3)齿轴油泵的压力波动小于设计值的 ±1.5%。

(4)油泵输油量不小于设计值。

(5)油泵电动机电流不超过额定值。

(6)螺杆油泵停止时不反转。

九、齿轮油泵

齿轮油泵安装检查项目、标准、检验方法见表 6-7。

表 6-7　齿轮油泵检查项目、标准、检验方法

项次	检查项目	允许偏差(mm)		检验方法
		合格	优良	
1	泵体水平度	0.20 mm/m	0.10 mm/m	用方型水平仪检查
△2	齿轮与泵体径向间隙	0.13 ~ 0.16		用塞尺检查
3	齿轮与泵体轴向间隙	0.02 ~ 0.03		用压铅法检查
△4	主、从动轴中心	0.10	0.08	用钢板尺、塞尺或百分表检查
5	主、从动轴中心倾斜	0.20 mm/m	0.10 mm/m	用塞尺或百分表检查

十、螺杆油泵

螺杆油泵安装检查项目、标准、检验方法见表 6-8。

表 6-8　螺杆油泵安装检查项目、标准、检验方法

项次	检查项目	允许偏差(mm)		检验方法
		合格	优良	
1	泵座纵、横向水平度	0.05 mm/m	0.03 mm/n	用方型水平仪检查
△2	螺杆与衬套间隙	符合设计规定		用塞尺测量检查
3	主、从螺杆接触面	符合设计规定		用着色法检查
4	螺杆端部与止推轴承间隙	符合设计规定		用压铅法检查
△5	主、从动轴中心	0.05	0.03	用百分表检查
6	主、从动轴中心倾斜	0.10 mm/m	0.05 mm/m	用塞尺或百分表检查

十一、通风机试运转

各类通风机试运转不少于 2 h，应符合下列要求：

(1)叶轮旋转方向正确，运行平稳，转子与机壳无摩擦声音。

(2)转动部分径向振动应不超过表 6-9 中的规定。

表 6-9　风机径向振动的允许值

转速(r/min)	750 ~ 1 000	1 000 ~ 1 450	1 450 ~ 3 000
径向振幅(双向)(mm)	不超过 0.10	不超过 0.08	不超过 0.05

(3)轴承温度对滑动轴承不超过 60℃，滚动轴承不超过 80℃。

(4)电动机电流不超过额定值。

十二、离心式通风机

离心式通风机检查项目、标准、检验方法见表 6-10。

表 6-10　离心式通风机检查项目、标准、检验方法

项次	检查项目	允许偏差(mm)		检验方法
		合格	优良	
1	轴承座纵、横向水平度	0.20 mm/m	0.10 mm/m	用方型水平仪检查
2	机壳与转子同轴度	2	2	拉线用钢板尺检查
△3	叶轮与机壳轴向间隙	符合设计规定或 $\dfrac{1}{100}D$		用塞尺检查
4	叶轮与机壳径向间隙	符合设计规定或 $\dfrac{1.5\sim3}{100}D$		用塞尺检查
△5	主、从动轴中心	0.05	0.04	用钢板尺、塞尺或百分表检查
6	主、从动轴中心倾斜	0.20 mm/m	0.10 mm/m	用塞尺或百分表检查
7	皮带轮端面垂直度	0.50 mm/m	0.30 mm/m	吊线锤用钢板尺检查
8	两皮带轮端面在同一平面内	0.50	0.20	拉线用钢板尺检查

注：D 为叶轮直径。

十三、轴流通风机

轴流通风机检查项目、标准、检验方法见表 6-11。

表 6-11　轴流通风机检查项目、标准、检验方法

项次	检查项目	允许偏差(mm)		检验方法
		合格	优良	
1	机身纵、横向水平度	0.20 mm/m	0.10 mm/m	用水平仪检查
△2	叶轮与主体风筒间隙或对应两侧间隙差	符合设计要求或 $D\leqslant600$，大于 ±0.5；D 在 $600\sim1\,200$ 之间，不大于 ±1.0		用塞尺检查

注：D 为叶轮直径。

十四、水力测量仪表

水力测量仪表检查项目、标准、检验方法见表 6-12。

表 6-12　水力测量仪表检查项目、标准、检验方法

项次	检查项目	允许偏差(mm)		检验方法
		合格	优良	
1	仪表设计位置	10	5	用钢卷尺检查
2	仪表盘设计位置	20	10	用钢卷尺检查
3	仪表盘垂直度	3 mm/m	2 mm/m	吊线锤用钢板尺检查
4	仪表盘水平度	3 mm/m	2 mm/m	用水平尺检查
5	仪表盘高程	±5	±3	用水准仪、钢板尺检查
6	测压管位置	±10	±5	钢卷尺检查

十五、箱、罐及其他容器

箱、罐及其他容器安装检查项目、标准、检验方法见表 6-13。

表 6-13　箱、罐及其他容器安装检查项目、标准、检验方法

项次	检查项目	允许偏差(mm)		检验方法	备注
		合格	优良		
1	容器水平度(卧罐)	不大于 $\dfrac{1}{1000}L$	不大于 10	用水平仪或 U 形水平管检查	L 为容器长度
2	容器垂直度(立罐)	不大于 $\dfrac{1}{1000}H$，且不超过 10	不大于 5	吊线锤用钢板尺检查	H 为容器高度
3	高程	±10	±5	用水准仪、钢板尺检查	
4	中心线位置	10	5	用经纬仪检查	

第二节　系统管路安装工程检测技术

一、一般规定和要求

(1)水利水电工程水力机械系统管路安装，应以同一类工作介质的管路来划分，如果工程范围过大，可在同一工作介质的管路中按工作压力等级来划分若干项工程。

(2)系统管路按管路的管件制作、管路安装、管路焊接及管路系统试验等分项进行检验。各分项按组成该系统的管路长度计算，每 50 m 各检查两处，不足 50 m 各检查一处的方式进行检验，具体检验位置由现场商定。对于工作压力在 2.5 MPa 及以上的阀门及系统管路试验，必须逐项检验。

二、具体要求

(1)管件制作检查项目、标准、检验方法见表 6-14。

表 6-14　管件制作检查项目、标准、检验方法

项次	检查项目	允许偏差(mm)		检验方法	备注
		合格	优良		
△1	管截面最大与最小管径差	不大于 8%	不大于 6%	用外卡钳和钢板尺检查	
2	弯曲角度	±3 mm/m，且全长不大于 10	±2 mm/m，且全长不大于 8	用样板和钢板尺检查	
3	折皱不平度	不大于 3%D	不大于 2.5%D	用外卡钳和钢板尺检查	D 为管子、锥形管公称直径
△4	环形管半径	不大于 ±2%R	小于 ±2%R	用样板和钢卷尺检查	R 为环管曲率半径
5	环形管平面度	±20	±15	拉线用钢板尺查检	
6	Ω形伸缩节尺寸	±10	±5	用样板和钢板尺检查	
7	Ω形伸缩节平直度	3 mm/m，且全长不超过 10	2 mm/m，且全长不超过 8	拉线用钢板尺检查	

项次	检查项目	允许偏差(mm)		检验方法	备注
		合格	优良		
8	三通主管与支管垂直度	不大于 2%H	不大于 1.5%H	用角尺、钢板尺检查	H 为三通支管高度
9	锥形管两端直径	±1%D		用钢卷尺检查	
10	卷制焊管端面倾斜	$\pm \dfrac{1}{1\,000}D$		用角尺、钢板尺检查	
11	卷制焊管周长	$\pm \dfrac{1}{1\,000}L$		用钢卷尺检查	L 为焊管设计周长

(2)管路焊接及管件焊接的检查项目、标准、检验方法见表 6-15。

表 6-15 管路焊接及管件焊接的检查项目、标准、检验方法

项次	检查项目	允许偏差(mm)		检验方法
		合格	优良	
△1	焊缝外观检查	符合《水轮发电机组安装技术规范》(GB8564—88)要求		按规定方法检查
2	重要焊缝无损检验工作压力≥6MPa	符合《电力建设施工及验收技术规范》(SD143—85)(钢制承压管道对接焊缝射线检验篇)Ⅱ级焊缝		按规定方法检查

(3)管路安装检查项目、标准、检验方法见表 6-16。

表 6-16 管路安装检查项目、标准、检验方法表

项次	检查项目	允许偏差(mm)		检验方法
		合格	优良	
1	明管平面位置每 10m 内	±10,且全长不大于 20	±5,且全长不大于 15	拉线用钢卷尺检查
2	明管高程	±5	±4	用水准仪、钢板尺检查
3	立管垂直度	2 mm/m,且全长不大于 15	1.5 mm/m,且全长不大于 10	吊线用钢板尺检查
4	排管平面度	不超过 5	不超过 3	用水准仪、钢板尺检查
5	排管间距	0～+5	0～+5	用钢卷尺检查
6	与设备连接的预埋管出口位置	±10		用钢卷尺检查

(4)通风管道制作安装检查项目、标准、检验方法见表 6-17。

表 6-17 通风管道制件安装检查项目、标准、检验方法

项次	检查项目	允许偏差(mm)		检验方法
		合格	优良	
1	风管直径或边长	−2	−1	用钢卷尺检查
2	风管法兰直径或边长	+2	+1	用钢卷尺检查
3	风管与法兰垂直度	2	1	用角尺、钢板尺检查
4	横管水平度	3 mm/m,且全长不大于 20	2 mm/m,且全长不大于 10	用水准仪、钢板尺检查
5	立管垂直度	2 mm/m,且全长不大于 20	2 mm/m,且全长不大于 15	吊线锤用钢板尺检查

(5)管件、阀门及管道系统试验项目、标准、检验方法见表 6-18。

表 6-18　管件、阀门及管道系统试验项目、标准、检验方法

项次	检查项目	试验性质	试验压力 (MPa)	试压时间 (min)	要求标准	备注
1	1.0 MPa 以上阀门	严密性	1.25 P	5	无渗漏	P 为额定工作压力
2	自制有压容器及管件	强度	1.5 P 并大于 0.4	10	无渗漏	
3	自制有压容器及管件	严密性	1.25 P	30	无渗漏且压降小于 5% P	
			1 P	12 h		
4	无压容器	渗漏	注水	12 h	无渗漏	
5	系统管路	强度	1.25 P	5	无渗漏	
6	系统管路	严密性	1 P	10	无渗漏	
7	通风系统	漏风率	额定风压		不大于设计风量 10%	

第七章 发电电气设备安装工程检测技术

一、检测依据

(1)《金属结构及启闭机械安装工程》(SDJ249.2—88)。

(2)《水轮发电机组安装工程》(SDJ249.3—88)。

(3)《水力机械辅助设备安装工程》(SDJ249.4—88)。

(4)《发电电气设备安装工程》(SDJ249.5—88)。

(5)《升压变电电气设备安装工程》(SDJ249.6—88)。

(6)《电气装置安装工程施工及验收规范》(GBJ232—822)。

(7)原水利电力部颁发《电气设备预防性试验规程》

(8)国家及原水利电力部颁发的有关专业技术标准和规程规范。

(9)原水利电力部颁发的《质量管理制度和质量评定办法(试行)》。

二、适用范围

(1)20 kV 及以下电压等级的发电电气一次设备及装置。

(2)交、直流控制保护设备及装置。

(3)直流操作电源(蓄电池部分)。

(4)400 V 以下交流低压电器及设备和装置,以及小型水电站同类安装工程。

三、一般规定和要求

(1)所用设备器材均应符合国家或原水利电力部颁发的有关技术标准要求。

(2)安装的电气设备必须具有生产合格证书。

(3)工程竣工后,交接验收时操作提供的技术资料均应符合验收规范规定。

(4)具备质量检验所需的检测手段和质量检验保证体系。

(5)质量检查、检验所需的工具、仪表、仪器设备均应符合国家规定的等级标准。

(6)高压电气设备的所有瓷件质量应符合国家标准《高压电瓷瓷件技术条件》(GBJ772—77)的规定。

第一节 油断路器安装工程检测技术

一、一般规定和要求

(1)断路器金属构架安装应正确、牢固,焊接质量应符合要求。

(2)所有部件齐全,无锈蚀支持绝缘子或绝缘套管瓷件的情况。无裂纹或破损,瓷铁件粘合牢固。

(3)绝缘件应无变形和受潮现象。

(4)基础各部分允许偏差见表 7-1。

表 7-1　基础各部分允许偏差

项次	项目	允许偏差(mm)	测量工具
1	中心距离及高程误差	±10	钢尺、水准仪
2	预留孔中心误差	±10	钢尺、经纬仪
3	基础螺栓中心误差	±2	钢尺、经纬仪

二、油断路器箱体

油断路器箱体安装检查应符合下列要求：

(1)安装垂直，固定牢固，底座与基础之间的垫片总厚度不应大于 10 mm，各垫片间焊接牢固(吊线检查垂直度并检查固定部位的牢固程度)。

(2)油箱内部清洁、无杂质，绝缘衬套干燥、无操作，放油阀畅通。

(3)油箱顶盖及法兰等处衬垫完整、有弹性、密封良好，箱体焊缝无渗油，油漆完整。

(4)断路器同相或相间支持瓷套法兰面应在同一水平面上，其允许误差应符合表 7-2 的规定。

表 7-2　允许误差

项次	项目	允许偏差(mm)		测量工具
		合格	优良	
1	同相各支柱中心线误差	小于或等于 5	小于或等于 2.5	钢尺、水平尺
2	相间误差	小于或等于 10	小于或等于 5	钢尺、水平尺
3	三相底座或油箱中心误差	小于或等于 5	小于或等于 2.5	

三、导电部分

导电部分的检查应符合下列要求：

(1)触头表面清洁，镀银部分不得锉磨，铜钨合金不得有裂纹或脱掉。

(2)动静触头应对准，分合闸过程无卡阻，合闸时触头的线性接触用 0.05 mm × 10 mm 塞尺检查，应塞不进去。

(3)横担应无裂纹，导电杆应平直，端部光滑平整。

(4)导电部分的编织铜线或可挠软铜片应无断裂，铜片间无锈蚀，固定螺栓齐全、紧固。

四、缓冲器

缓冲器安装质量应符合下列要求：

(1)固定牢固，动作灵活，无卡阻、回跳现象。

(2)油缓冲器行程应符合产品技术规定。

(3)油缓冲器注入油的规格及油位应符合产品要求。

五、油断路器与母线或电缆的连接

油断路器与母线或电缆的连接应符合以下要求：

(1)连接部位应清洁平整，无毛刺或锈蚀，连接螺栓紧固。

(2)用 0.5 mm × 10 mm 塞尺检查，接触面应达到以下要求：

线接触：小于 0.05 mm。

面接触：接触面宽度 50 mm 及以下时，小于 4 mm 为合格，小于 2 mm 为优良；接触面宽度 60 mm 以上时，小于 6 mm 为合格，小于 3 mm 为优良。

六、操作机构和传动装置

操作机构和传动装置的安装质量(通过操作试验检查)应符合下列要求：

(1)部件齐全完整，连接牢固，各锁片、防松螺母均应拧紧，开口锁张开。

(2)分、合闸线圈绝缘完好，线圈铁芯动作应灵活、无卡阻。

(3)合闸接触器和辅助切换开关的动作应准确可靠，接点应接触良好，无烧损或锈蚀。

(4)气动操作机构阀体、阀座应密封良好，无漏气。

(5)操作机构和传动装置的调整应满足动作要求：检查活动部件与固定部件的间隙、移动距离、转动角度、气动活塞的行程等数值，均应在产品允许误差范围内。

(6)与断路器的联动动作应正常、无卡阻现象，分合闸位置指示器指示正确。

七、操作试验的要求

(1)在操作电源额定电压值下进行分、合闸操作各 3 次。有条件时在 115%、90%(装有自动分合闸装置的断路器为 80%)额定母线电压下进行操作，各 2 次。

(2)合格标准。①操作过程中发现断路器有个别缺陷，经处理消除断路器动作正常；②操作后测量断路器行程、分合闸时间等技术参数，应符合产品要求。

(3)优良标准。①断路器动作正常可靠；②测量断路器行程、分合闸时间等技术参数达到或优于产品的技术规定。

八、其他要求

(1)消弧室部件应完整，绝缘件应干燥、无变形，安装位置应准确。

(2)提升杆及导向板应无弯曲及裂纹，绝缘漆层完好，绝缘电阻应符合产品要求。

(3)排气装置的安装质量应符合规范要求。

(4)油标油位指示正确，无渗油。

(5)接地部位的接触牢固、可靠。

(6)油断路器安装工程检测项目、标准、方法见表 7-3。

表 7-3　油断路器检查项目、标准、方法

项次	项目	质量标准	备注
△1	测量每相导电回路电阻	应符合产品的技术要求	可参照 SDJ249.6—88 附录 2
2	测量断路器分合闸状态时的绝缘电阻	绝缘电阻值大于 1 200 MΩ	用 2 500 V 兆欧表
3	测量二次回路绝缘电阻	绝缘电阻值大于或等于 1 MΩ	用 1 000 V 兆欧表
4	测量分合闸线圈的直流电阻及绝缘电阻	直流电阻应符合产品技术要求，绝缘电阻大于 10 MΩ	用 1 000V 或 2 500V 兆欧表测量绝缘电阻
△5	交流耐压试验	试验标准见 SDJ2496—88 附录 1；耐压试验应通过	
△6	测量分合闸时间	固有分闸和固有合闸时间均应符合产品技术规定	可参照 SDJ249.6—88 附录 2
7	测量分合闸速度	实测值应符合产品技术规定	
8	分合闸同时性	符合产品技术要求	
9	绝缘油试验	应符合《水轮发电机组安装技术规范》(GB8564—88)第十七篇第十七章有关规定	
10	检查操动机构合闸、接触器及分闸电磁铁最低动作电压	部件名称		括号内数值适用于要求自动重合闸的断路器

表 10 项的质量标准细分：

部件名称	最低动作电压 (额定电压的%值)	
	不小于	不大于
分闸电磁铁	30	65
合闸接触器	30	80(65)

第二节　隔离开关安装工程检测技术

一、一般规定与要求

(1)适用于户内式发配电隔离开关安装质量的检验。

(2)组合电器的隔离开关也可参照执行。

(3)外观检查应符合下列要求：①绝缘子表面清洁，无裂纹、破损等缺陷，瓷铁件粘合应牢固。②开关固定部分安装正确、牢固，转动部分动作灵活。③操动机构零部件齐全，所有固定连接部件坚固，转动部分动作灵活，并涂有符合要求的润滑脂。④油漆完整，相色正确，接地牢固可靠。

二、本体安装

本体安装的检查项目和标准如下：

(1)相间距离与设计误差值：合格标准为小于或等于 ±5 mm；优秀标准为小于或等于 ±3 mm。检验方法是用钢尺测量。

(2)支柱绝缘子与底座平面垂直且连接牢固，同相各支柱绝缘子的中心线应在同一垂直平面内。

(3)各支柱绝缘子间应连接牢固,其水平或垂直偏差经校正后应能满足触头接触良好的要求。

三、触头调整

触头调整的标准与检验方法和要求如下:

(1)触头调整平整、滑洁、无氧化膜,并涂以中性凡士林油。

(2)触头间接触紧密,刀片钳口两侧压力均匀,用 0.05 mm × 10 mm 塞尺检查。

线接触:要求塞尺塞不进去。

面接触:接触面宽度为 50 mm 及以下时,小于 4 mm;接触面宽度为 60 mm 以上时,小于 6 mm。

(3)合闸后,刀片与固定触头钳口底部间应有 3~5 mm 间隙;分闸状态时,触头与刀片间的绝缘距离、拉开角度等应符合产品的技术规定。

(4)三相联动时,触头接触的同期允许误差小于 5 mm。

四、隔离开关与母线或电缆的连接

隔离开关与母线或电缆的连接应符合下列要求:

(1)连接部位应清洁、无毛刺或锈蚀,螺栓坚固。

(2)连接处接触面用 0.05 mm × 10 mm 塞尺检查。

五、操作机构

操作机构安装调查应符合下列要求:

(1)安装牢固,各固定部件螺栓紧固,开口销必须分开。

(2)传动部件的安装调整应符合现行有关规范要求。

(3)操作机构动作平稳,无卡阻、冲击等异常情况。

(4)操作机构的手柄位置应正确。

六、操作试验

操作试验项目和要求如下:

(1)进行交流耐压试验,标准见 SDJ249.6—88。

(2)手动操作试验 3 次,检查。

(一)合格标准

(1)操作过程中发现的个别缺陷经处理消除,开关能正常分合。

(2)开关合闸时的三相差值、分闸时的张开角度等技术数值应在产品要求的允许范围内。

(二)优良标准

(1)操作过程中开关各部分应无变形失调,开关动作灵活可靠。

(2)开关合闸时的三相差值、分闸时的张开角度等技术数值均应符合或优于产品的技术规定。

第三节　负荷开关及高压熔断器安装工程检测技术

一、一般规定和要求

适用于额定电压为 3～20 kV 的负荷开关、高压熔断器安装质量的检验。

(一)外观检查

(1)安装位置应正确，固定牢固，部件齐全完整。

(2)瓷件表面清洁，无裂纹、破损，瓷铁件粘合牢固。

(3)操动机构零件齐全，所有固定连接部分应紧固，转动部分动作灵活，并涂有符合要求的润滑脂。

(4)油渍式负荷开关应无渗漏油现象。

(二)负荷开关

负荷开关安装调整质量(检查安装调整记录)应符合下列要求：

(1)主固定触头与主刀刃接触紧密，用 0.05 mm×10 mm 塞尺检查，应达到下列要求：

线接触：要求塞尺塞不进去。

面接触：接触面宽度为 50 mm 及以下时，小于 4 mm；接触面宽度为 60 mm 以上时，小于 6 mm。

(2)开关三相动作一致，其接触的先后偏差小于或等于 3 mm。分闸状态的触头静距及拉开角度均应符合产品的技术规定。

(3)灭弧筒完整、无裂纹，灭弧触头与灭弧筒的间隙应符合产品的技术要求。

(4)开关接线端子与母线的连接面应清洁平整、接触紧密，用 0.05 mm×10 mm 塞尺检查，其要求与开关触头要求相同。

(5)操作机构的安装调整与隔离开关安装的要求相同。

(6)开关的辅助切换接点应安装牢固、接触良好、动作可靠。

(7)开关外壳或底座接地牢固可靠。

二、高压熔断器检查项目和质量标准

(1)零部件齐全、无锈蚀，熔管无裂纹、破损。

(2)绝缘支座安装位置应符合水平或垂直要求，两钳口在一直线上。带动作指示的熔断器，其指示器应朝下安装。

(3)熔丝规格应符合要求，并应无弯折、压扁或损伤。

(4)熔丝管与钳口接触紧密，钳口弹力充足，插入顺利。

(5)跌落式熔断器，熔管轴线与垂直方向保持 15º～30º角，其转动部分应灵活。

(6)熔断器与母线的连接应符合《电气装置安装工程施工及验收规范》(GBJ232—82)中"母线装置篇"的规定。

(7)高压熔断器的检验项目、标准、检验方法见表7-4。

(8)操作试验要求：手动操作 3 次，进行检查，在操作过程中发现个别缺陷处理消除，开关能正常分合。

表 7-4　高压熔断器检验项目、标准、检验方法

项次	项目	质量标准		检验方法
1	测量负荷开关绝缘电阻	额定电压(kV)	绝缘电阻(MΩ)	用 2 500 V 兆欧表测量
		3～15	大于或等于 1 200	
		20	大于或等于 3 000	
2	测量高压熔丝管电阻	测量值与产品原测值相比，应无显著差别		
△3	负荷开关耐压试验	试验标准与隔离开关相同，试验应无异常		

第四节　互感器安装工程检测技术

一、一般要求与规定

(一)外观检查

外观检查应符合下列要求：

(1)清洁完整，电压互感器外壳应无渗漏现象。

(2)瓷管(套管)无裂纹或损伤，瓷套管与上盖间的胶合应牢固(用手扳动检查，套管不应活动)。

(3)电流互感器法兰盘应无裂纹或损伤，穿心导电杆固定牢固。

(4)接地牢固可靠。

(二)安装

安装应符合下列要求：

(1)电压互感器放置稳固，本体垂直；电流互感器固定牢固，同一组电流互感器中心应在同一平面上，各互感器间隔一致。

(2)互感器二次引线端子接线正确、连接牢固，绝缘良好，标志正确、清晰。

二、互感器安装

互感器安装检查项目、标准、方法见表 7-5。

表 7-5　互感器安装检查项目、标准、方法

项次	项目	质量标准	备注
1	测量绕组绝缘电阻	(1)一次绕组绝缘电阻值不作规定； (2)电压互感器二次绕组绝缘电阻大于 5 MΩ； (3)电流互感器二次绕组绝缘电阻大于 10 MΩ	一次绕组用 2 500 V 兆欧表测量，二次绕组用 1 000 V 兆欧表测量
△2	交流耐压试验	(1)一次绕组试验电压标准见 SDJ249.6—88 附录 1； (2)二次绕组试验电压标准为 1 000 V； (3)耐压试验过程中应无异常	
3	测量电流互感器的励磁特性曲线	同型式电流互感器特性曲线相互比较，应无显著差别	仅对继电保护有特性要求时才做此项试验
4	测量电压互感器一次线圈直流电阻	与制造厂测得的数值比较，应无显著差别	

项次	项目	质量标准	备注
5	测量 1 000 V 以上电压互感器空载电流	空载电流值不作规定	在额定电压下测量
6	电压互感器绝缘油试验	符合《发电电气设备安装工程》(SDJ249.5—88)第十七篇第十七章试验标准的要求	
△7	检查三相互感器的接线组别和单相互感器的极性	必须与铭牌及外壳上的符号相符	
8	检查变比	应与制造厂铭牌值相符	

第五节　干式电抗器安装工程检测技术

一、一般规定和要求

适用于 20 kV 及以下干式电抗器安装质量的检验。油浸式电抗器安装质量检验应参照"电力变压器、互感器"的规范中有关规定执行。

二、外观检查

外观检查标准应符合下列要求：

(1)支柱检查的合格标准：完整、无裂纹(优良)，支柱裂纹长度小于其径向尺寸的 $\frac{1}{3}$，宽度不超过 0.5 mm，并需经表面填补涂防潮漆处理。

(2)线圈的检查标准如下：

优良：线圈无变形，绝缘无损伤，且线圈与螺栓间绝缘电阻不低于 1 MΩ。

合格：线圈损伤处包扎处理，不影响运行。

(3)各连接部件的螺栓应紧固。

三、安装

安装应符合下列要求：

(1)安装位置符合规定。

(2)安装标号正确，垂直安装时各相中心应一致。

(3)线圈绕向，三相迭装时，中间一相线圈绕向与上下两相方向相反；二相重叠一相并列时，重叠的两相绕向相反，并列的一相与重叠的上面一相方向相同；水平排列时，三相绕向相同。

(4)支柱绝缘子应固定牢固。

四、接地

接地应符合下列要求：

(1)重叠安装的电抗器底层的所有支柱绝缘子均应可靠接地。

(2)单独安装的电抗器，每相支柱绝缘子应可靠接地。

(3)支柱绝缘子接地线不应构成闭合回路。

另外，在交流耐压试验过程中应无异常。

第六节　避雷器安装工程检测技术

一、一般规定与要求

(1)适用于额定电压为 3～20 kV 发电、配电装置及厂用电系统中的阀式和管式避雷器安装质量的检验。

二、阀式避雷器

(一)外观检查

外观检查应符合下列要求：

(1)密封完好，设备型号与设计相符。

(2)瓷件无裂纹、破损，瓷套与铁法兰间的粘合牢固。

(3)磁吹阀式避雷器的防爆片无裂纹和损坏。

(4)磁吹阀式避雷器各节位置与出厂标志编号相符。

(二)安装

安装应符合下列要求：

(1)各连接处的金属接触表面无氧化膜及油漆，并涂有复合脂。

(2)安装垂直，每一元件中心线与安装中心线垂直偏差小于或等于单元高度的1.5%(优良标准)。偏差超出单元高度的 1.5%时，在法兰间加金属片校正，其缝隙用腻子抹平并涂以油漆，且能保证其导电性能良好(合格标准)。

(3)放电记录器密封良好，动作可靠，基座绝缘良好，接地可靠。

三、管式避雷器

(一)外观检查

(1)灭弧间隙不得任意拆卸调整，喷口处的灭弧管内径应符合产品的技术规定。

(2)绝缘管壁无破损、裂痕，漆膜完好，管口不堵塞。

(3)配件齐全。

(二)安装

安装应符合下列标准：

(1)避雷器及其支架须安装牢固。

(2)外部间隙应稳定不变。

(3)避雷器倾斜安装时，其轴线与水平方向夹角大于或等于15°。

(4)安装方法应符合规范要求。

四、避雷器安装

避雷器安装检验项目、标准、方法见表7-6。

表7-6　避雷器安装检验项目、标准、方法

项次	项目	质量标准						备注
1	测量绝缘电阻	FS型避雷器绝缘电阻大于2 500 MΩ						用2 500 V兆欧表测量
△2	测量电导电流并检查组合元件的非线性系数	同一相内串联组合元件的非线性系数差值小于或等于0.04；电导电流试验标准应符合下列数值(产品有技术规定数值时，应符合其产品技术规定)						
		FZ型避雷器的电导电流值						
		额定电压(kV)	3	6	10	15	20	
		试验电压(kV)	4	6	10	15	20	
		电导电流(μA)	400~650	400~600	400~600	400~600	400~600	
		FS型避雷器的电导电流值						
		额定电压(kV)	2	3	6	10		
		试验电压(kV)	3	4	7	11		
		电导电流(μA)	5	5	5	5		
		FCD型避雷器的电导电流值						
		额定电压(kV)	2	3	4	6	10	13.2	15
		试验电压(kV)	2	3	4	6	10	13.2	15
		电导电流(μA)	FCD、FCD$_3$型不超过10，FCD、FCD$_2$型为50~100						
3	测量工频放电电压	FS型避雷器工频放电电压范围						
		额定电压(kV)	3	6	10			
		放电电压(有效值)(kV)	9~11	16~19	26~31			

第七节　高压开关柜安装工程检测技术

一、一般规定和要求

适用于发电、配电装置中固定式和手车式高压开关柜安装质量的检验。

二、固定式高压开关柜

(1)基础允许偏差及检验方法见表7-7。

表 7-7　基础允许偏差及检验方法

次项	项目		允许偏差(mm)	检验方法
1	直径	每米	1	用钢尺、线锤、水平尺检查
		全长	5	
2	水平度	每米	1	
		全长	3	

(2)型钢接地可靠，型钢高出抹面高度为 10 mm。

(3)开关柜本体安装应符合下列要求：①质量允许偏差及检验方法见表 7-8。②开关柜之间与建筑物间的距离应符合设计要求。③柜体固定牢固，柜间连接紧密。④柜两侧及顶部隔板完整牢固，门锁灵活齐全。

表 7-8　质量允许偏差及检验方法

项次	项目		允许偏差(mm)	检验方法
1	垂直度(每米)		1.5	用钢尺、线锤、水平尺检查
2	平度	相邻两柜边	1	
		成列柜面	5	
3	柜间接缝		2	

(4)接地应符合下列要求：固定牢固，接触良好，排列整齐，装有电器的柜门或构架间应采用软铜线接地。

三、手车式高压开关柜

(1)开关柜基础及本体安装检查项目、标准、检验方法见表7-8。

表 7-8　开关柜基础及本体安装项目、标准、检验方法

项次	检查项目		允许偏差(mm)	检验方法
1	垂直度(每米)		1.5	用钢尺、线锤、水平尺检查
2	平度	相邻两柜边	1	
		成列柜面	5	

(2)手车推拉灵活，接地触头接触良好。

(3)机械闭锁装置动作正确可靠。

(4)动静触头中心线一致,触头接触紧密。

(5)手车推入工作位置后,动触头顶部与静触头底部间隙应符合产品的技术要求。

(6)二次回路辅助开关的切换接点动作准确,接触可靠。

(7)安全隔板开放灵活、正确。

(8)柜内照明齐全。

第八节　厂用变压器安装工程检测技术

一、一般规定和要求

(1)适用于额定电压为 10 kV 及以下,且额定容量为 1 600 kVA 及以下的油浸式厂用变压器安装质量检验。

(2)额定容量在 1 600 kVA 以上厂用变压器安装可参照《主变压器安装工程质量评定标准》(SDJ249.6—88)执行。

(3)额定电压为 10 kV 及以下,额定容量为 1 000 kVA 及以下的干式变压器安装质量按本章第五节相关规定。

(4)变压器本体及其所有附件齐全,无锈蚀或机械损伤。

二、检查项目和质量标准

(一)变压器轨道

变压器轨道应水平,轮距中心线与轨距中心线应对正,允许偏差小于 10 mm。

(二)外观检查

外观检查应符合下列要求:

(1)油箱盖及各连接法兰处耐油胶垫应密封良好,螺栓连接紧固,无渗漏油现象。

(2)各部件清洁,油漆均匀完整,放油阀门动作灵活,瓷套管无裂纹或损伤。

(3)相色正确,接地符合设计要求且连接牢固可靠。

(三)变压器器身

变压器器身检查应符合下列要求:

(1)按现行有关规范规定需吊芯检查的变压器,应进行该项目的检查。

(2)器身检查项目和要求,应符合现行规范的有关规定。

(四)本体及附件

本体及附件安装应符合下列要求:

(1)装有气体继电器的变压器,其顶盖升高坡度为 1% ~ 1.5%。

(2)装有滚轮的变压器,滚轮应转动灵活并有制动装置。

(3)各法兰的接触面应平整,密封良好。

(4)散热器(管)用合格的变压器油冲洗,管内应清洁,用 0.07 MPa 变压器油或干燥气体检查,持续 3 min 应无渗漏。

(5)气体继电器应经校验合格，水平安装，接线正确。

(6)储油柜应清洗干净、密封良好，油位与温度标记符合。

(7)防爆筒玻璃片完好，过滤器硅胶干燥。

(8)温度计指示正确，软管不压扁、不扭曲。

(9)套管经试验合格，法兰处密封良好。

(五)母线式电缆的连接

母线式电缆的连接应符合下列要求。

(1)连接紧密，用 0.05 mm×10 mm 塞尺检查母线接触面，母线宽度在 50 mm 以下，其插入深度应小于或等于 4 mm。

(2)采用电缆连接时，其电缆的绝缘电阻及耐压试验标准均应符合现行规范的有关规定。电缆的敷设安装质量应符合规范的有关要求。

(3)两台变压器并联时，其接线的相序必须一致。

(六)保护装置、测量仪表及二次接线

(1)保护装置齐全，整定值符合规定，仪表指示正确，二次接线正确，连接牢固。

(2)操作及联动试验中各装置、仪表及其回路应动作正确。

(七)变压器整体密封检查

变压器整体密封检查应符合下列要求：用压力为 0.03 MPa 的气压或油压进行试验，试验持续时间 12 h，应无渗漏。

厂用变压器检验项目、标准、检验方法见表 7-9。

表 7-9　厂用变压器检验项目、标准、检验方法

项次	项目	质量标准									备注
1	直流电阻测量	(1)相间差别小于或等于三相平均值的 4%； (2)线间差别小于或等于三相平均值的 2%； (3)若因结构等原因超过上述规定时，其测量值的变化范围小于或等于 2%(与出厂实测值比较)									
△2	检查各分接头的变比	允许误差小于或等于 ±1%									
△3	检查三相变压器的接线组别和单相变压器的极性	与变压器的标志(铭牌及顶盖上的符号)相符合									
4	绝缘电阻测量	绝缘电阻值应大于或等于产品出厂试验值的 70%，或大于下列数值(适于 3～10 kV 高压绕组)									高压绕组用 2 500 V 兆欧表测量；低压绕组用 500 V 或 1 000 V 兆欧表测量
		温度(℃)	10	20	30	40	50	60	70	80	
		绝缘电阻(MΩ)	450	300	200	130	90	60	40	25	
		额定电压为 500 V 以下的低压侧绕组绝缘电阻值应大于或等于 10 MΩ； 干式变压器绝缘电阻值不作规定									
△5	工频耐压	试验电压标准见 SDJ249.6—88 附录 1，耐压试验应无异常									

项次	项目	质量标准	备注
6	测量各紧固件对铁芯、油箱绝缘电阻	使用 1 000 V 或 2 500 V 兆欧表测量,绝缘电阻值不作规定	不做器身检查的变压器不做此检验
7	绝缘油试验	应符合《主变压器安装工程质量评定标准》(SDJ249.6—88)第十七篇第十七章绝缘油试验标准要求	
8	检查相位	必须与母线相伴一致	

第九节　低压配电盘及低压电器安装工程检测技术

一、低压配电盘安装工程的检测要求

(一)一般规定和要求

(1)适用于交流 50 Hz，额定工作电压 500 V 以下低压配电盘(包括动力配电箱)安装质量检验。

(2)在交接验收过程中，各盘柜的电器及电气回路动作准确、正常、可靠。

(二)检查项目和质量标准

1. 基础型钢安装

基础型钢安装应符合下列要求：

(1)符合设计要求，其安装项目、标准、检验方法见表 7-10。

表 7-10　基础型钢安装项目、标准、检验方法

项次	项目		允许偏差(mm)	检验方法
1	垂直度	每米	1	用钢尺、线锤、水平尺检查
		全长	5	
2	水平度	每米	1	
		全长	5	

(2)型钢接地可靠。

2. 盘柜本体安装

盘柜本体安装应符合下列要求：

(1)盘面及盘内清洁、无损伤，漆层完好，盘面标志齐全，正确清晰。

(2)悬挂式动力配电箱体与地面及周围建筑物的距离应符合设计要求，箱门开关灵活、门锁齐全。

(3)固定牢固，盘柜本体安装项目、标准、检验方法应符合表 7-11 的规定。

3. 配电盘接地

配电盘接地应符合下列要求：

(1)接地方式应符合设计要求。

(2)固定牢固，接触良好，排列整齐。

(3)装有电器的可开启门应用软导线与接地体可靠连接。

表 7-11　盘柜本体安装项目、标准、检验方法

项次	项目		允许偏差(mm)	检验方法
1	垂直度(每米)		1.5	用钢尺、线锤、水平尺检查
2	垂直度	相邻两盘顶部	2	
		成列盘柜顶部	5	
3	水平度	相邻两盘柜边	1	用钢尺、线锤、水平尺检查
		成列盘柜面	5	
4	盘柜间缝隙		2	用塞尺检查

4.　配电盘电气外观检查及安装

配电盘上电气外观检查及安装应符合下列要求：

(1)电器外壳及玻璃片应无破裂。

(2)操作切换把手转动灵活，接点分合准确可靠，弹力充足。

(3)信号灯、光字牌完好，指示色符合要求，灯泡附加电阻符合规定。

(4)各电器安装位置正确，便于拆换，固定牢固。

(5)继电保护装置的整定值应符合要求，熔断器熔体规格正确。

(6)仪表应经核验合格，安装位置正确，固定牢固，指示准确。

5.　端子板及二次接线

端子板及二次接线安装应符合下列要求：

(1)固定牢固，端子板及其零件完整齐全，无损坏，绝缘良好，标志齐全，清楚正确。

(2)便于更换，接线方便。每个端子每侧接线不得超过 2 根，接线螺钉紧固，所有接线应排列整齐。

(3)二次回路应符合下列要求：①二次回路连接件均应为铜质制品，回路接线应用铜芯绝缘导线或铜芯电缆。电压回路线芯截面不小于 1.5 mm^2。电流回路线芯截面不小于 2.5 mm^2。②二次回路带电体之间或带电体与接地体之间电气间隙大于或等于 4 mm，漏电安全距离大于或等于 6 mm。

6.　硬母线及电缆安装

硬母线及电缆安装应符合下列要求：

(1)母线及电缆排列整齐，有两个电源的动力配电箱，母线相位的排列应一致，电缆绝缘良好。

(2)裸露母线的电气间隙及漏电距离应符合下列要求：①电气间隙大于或等于 12 mm。②漏电距离大于或等于 20 mm。

(3)母线、电缆与电器的连接应紧密、牢固，用 0.05 mm × 10 mm 塞尺检查的要求如下：线接触小于或等于 0.05 mm；面接触小于或等于 4 mm(母线宽度在 50 mm 以下)。

(4)小母线应为直径大于或等于 6 mm 的铜棒或铜管，且标志齐全、清晰、正确。

(5)母线漆色符合规定。

7. 抽屉式配电柜安装

抽屉式配电柜安装应符合下列要求：

(1)配电柜基础及柜体安装检查项目、标准、检验方法见表 7-12。

表 7-12　配电柜基础及柜体安装检查项目、标准、检验方法

项次	项目		允许偏差(mm)	检验方法
1	垂直度	每米	1	用钢尺、线锤、水平尺检查
		全长	5	
2	水平度	每米	1	
		全长	5	

(2)抽屉推拉灵活、轻便，无卡阻、碰撞。

(3)动静触头中心应一致，触头接触应紧密。

(4)机械连锁或电气连锁装置动作应正确可靠。

(5)接地触头应接触紧密、可靠。

8. 其他要求

(1)配电盘绝缘检查应符合下列要求：用 500 V 兆欧表测量绝缘电阻应大于或等于 0.5 MΩ。

(2)动力配电盘(柜)交流耐压试验应无异常。

(3)相位检查，各相两侧的相位应一致。

二、低压电器安装工程检测要求

(1)适用于配电和控制用交流(50 Hz)及直流低压电器安装调试的质量检验。

(2)各类低压电器的零部件齐全、清洁，无锈蚀和缺陷，瓷件不应有裂纹和伤痕。

(3)各类低压电器的规格、型号、工作条件等应与现场实际使用要求相符，铭牌标志应齐全。

(4)成排或集中安装的低压电器应排列整齐，便于操作和维护。

(5)电器的金属外壳、框架的接零或接地应符合现行规范的有关要求。

第十节　电缆线路安装工程检测技术

一、一般规定和要求

(1)适用于 35 kV 及以下的电力电缆控制电缆线路安装工程的检验。

(2)电缆附件应齐全，电缆终端盒瓷套管的质量应符合国家标准《高压电瓷瓷件技术条件》(GBJ772—77)的有关规定。

(3)电缆隐蔽工程应有验收签证。

(4)电缆防火设施的安装应符合设计规定。

二、电缆支架安装的要求

(1)平整牢固，间距均匀，排列整齐。成排安装的支架高度一致，允许偏差小于或等于±5 mm。

(2)组合后的电缆钢结构竖井，用线锤、拉线、水平尺检查，其允许偏差如表 7-13 所示。

表 7-13　允许偏差

测量位置	允许偏差
垂直	小于或等于竖井长度的 0.2%
支架横撑水平	小于或等于竖井架宽度的 0.2%
竖井对角线	小于或等于竖井对角线长度的 0.5%

(3)支架横挡至沟顶、楼板或沟底的距离应符合设计规定。

(4)电缆支架与电缆沟或建筑物的坡度应相同。

(5)电缆托架的制作安装应符合设计要求。

(6)电缆支架应涂刷防腐漆和油漆，且漆层完整均匀。

(7)电缆支架应按规定可靠接地。

三、电缆管加工及敷设

(一)加工弯制

(1)电缆管的弯曲半径与所穿电缆的半径应一致，每根管的弯头最多不超过 3 个，直角弯头少于 2 个。

(2)管子弯制后无裂纹或显著的凹痕。

(3)管口平齐，呈喇叭形，无毛刺。

(二)敷设与连接

(1)固定牢固，并列敷设的电缆管管口排列整齐，裸露的金属管应涂防腐漆。

(2)电缆管的连接应严密牢固，出入地沟、隧道和建筑物的管口应密封。

(三)控制电缆敷设安装

1. 敷设前的检查

(1)电缆无扭曲变形，无中间接头。

(2)电缆绝缘层应无损伤，铠装电缆的铠装层不松散。

(3)用 500 V 兆欧表检查电缆绝缘电阻，绝缘电阻指标应符合表 7-14 要求。

表 7-14　绝缘电阻指标

控制电缆绝缘类别	每公里绝缘电阻(MΩ) (20 ℃时测量值)	控制电缆绝缘类别	每公里绝缘电阻(MΩ) (20℃时测量值)
聚乙烯绝缘	大于或等于 100	聚氯乙烯绝缘	大于或等于 40(1.5 mm^2)以下截面积导线；大于或等于 10(其他截面导线)
橡皮绝缘	大于或等于 50		

2. 控制电缆敷设

(1)控制电缆的敷设数量、位置应与电缆统计说明书及设计图纸相符。

(2)厂房内、隧道、沟道内电缆敷设应符合以下要求:①铠装电缆应涂有防腐漆。②电缆的排列顺序应符合现行相关规范规定。电缆的排列应整齐,无交叉迭压。电缆的引出方向一致、备用长度一致、相互间距一致。③铠装、非铠装的最小弯曲半径均应大于或等于 10 D(D 为外径)。④电缆标志牌应齐全,标注正确、清楚,装设位置应符合要求。

3. 管道内电缆敷设

(1)管道内应清洁无杂物,电缆进出管口应密封。

(2)裸铠装电缆与其他有外护层的电缆不得穿入同一管内。

4. 直埋电缆敷设

(1)电缆埋设深度大于或等于 0.7 m,电缆应有适量余度。

(2)电缆之间、电缆与其他管道或建设物之间的最小净距应符合现行相关规范要求,严禁电缆平行敷设于管道上、下面。

(3)直埋电缆上、下面铺垫软土或砂层的厚度应不大于 100 mm,直埋电缆上方保护盖板应完整。

(4)直埋电缆沿线的方位标志或标桩牢固、明显。

5. 堤坝上电缆敷设

堤坝上电缆的敷设要求与直埋电缆敷设要求相同。

四、电缆的固定安装

(1)固定地点:垂直敷设或超过 45°倾斜敷设的电缆应在每个支架上固定,水平敷设的电缆在电缆首末两端及转弯处固定。

(2)电缆各固定支持点间的距离应符合设计规定,无设计规定时,支架敷设(包括沿着墙壁、横板、构架等处的敷设)应满足以下要求:①水平敷设,应小于或等于 0.8 m;②垂直敷设,应小于或等于 0.75 m。

(3)电缆应固定牢固,裸铅包电缆固定处应有软衬垫保护。

(4)电缆头制作应符合以下要求:①电缆芯线应无损伤,芯线之间及芯线对地之间绝缘良好。②电缆头制作所用的材料应清洁干燥,绝缘良好。③制作工艺正确,包扎紧密、整齐,密封良好。

(5)电缆敷设完毕,电缆头制作好后,用 500 V 兆欧表检查整根电缆的绝缘电阻,保证绝缘良好。

五、35 kV 以下电力电缆制作安装

(一)敷设前检查

(1)电缆外表应无扭曲损伤,铠装电缆的铠装层不松散。

(2)绝缘层应无损伤,油浸纸绝缘,密封良好,不漏油。

(3)用 1 000 V 或 2 500 V 兆欧表检查电缆的绝缘电阻,绝缘性能指标应符合表 7-15 规定。

表 7-15　电缆的电气性能要求

项次	项目	电缆类别			塑料电缆		
		普通黏性浸渍电缆	不滴流电缆	橡皮电缆	聚氯乙烯	聚乙烯	交联聚乙烯
1	导线直流电阻系数 $(\Omega \cdot mm^2/m)$ (在 20 ℃时)	小于或等于 0.018 4(铜芯) 小于或等于 0.031 0(铝芯)			小于或等于 0.018 4(铜芯) 小于或等于 0.031 0(铝芯)		
2	每公里绝缘电阻 $(M\Omega)$(在 20 ℃时)	大于或等于 50(1~3 kV); 大于或等于 100(6 kV 及以上)	导线截面为 50 mm² 及以下者，应大于或等于 50; 导线截面为 70~185 mm² 者,应大于或等于 35; 导线截面为 240 mm² 及以上者，应大于或等于 20		大于或等于 40(1 kV); 大于或等于 60(6 kV)		大于或等于 1 000(6 kV); 大于或等于 1 200(10 kV); 大于或等于 3 000(35 kV)

(二)敷设要求

1. 厂房内、隧道、沟道内电力电缆敷设

(1)明敷电缆应剥除麻护层，铠装涂防腐漆。

(2)电缆的排列顺序应符合现行有关规范规定。电缆排列整齐无迭压，应引出方向一致、备用长度一致、相互间距离一致。

(3)电缆的最小弯曲半径与电缆外径的比值应符合表 7-16 的规定。

表 7-16　电缆最小弯曲半径与电缆外径的比值

电缆类别	电缆护层结构	单芯	多芯
油浸纸绝缘	铠装或无铠装	大于或等于 20	大于或等于 15
橡皮绝缘	橡皮或聚氯乙烯护层	—	大于或等于 10
	裸铅护套	—	大于或等于 15
	铅护套钢带铠装	—	大于或等于 20
塑料绝缘	铠装或无铠装	—	大于或等于 10

(4)并列敷设的电缆相互间净距应符合设计要求。

(5)油浸绝缘电缆的最大位差应小于表 7-17 的规定。

表 7-17　油浸绝缘电缆最大允许位差值

电缆电压等级		最大允许位差(m)	
		铅护层	铝护层
1~3 kV	铠装	25	25
	无铠装	20	25
6 kV		15	20
10 kV		15	—
20~35 kV		5	—

(6)电缆标志牌应齐全，标注正确、清楚，装设位置应符合要求。

(7)并联运行的电力电缆，其长度应相等。

2. 其他要求

(1)管道内电力电缆敷设应符合以下要求：穿电缆的管道内应清洁无杂物，电缆进出口应密封。

(2)直埋电力电缆的敷设应符合现行规范的有关规定。

(3)堤坝上电力电缆的敷设质量要求同直埋电力电缆。

(三)电力电缆的固定安装

(1)固定地点检查应符合以下要求：垂直敷设的电缆应在其首末两端及转弯处以及电缆接头的两端固定。

(2)电缆各固定支持点间的距离应符合设计规定。无设计规定时，应符合以下要求：

支架敷设(包括沿墙壁、构架、楼板等处的敷设)：水平敷设小于或等于 1.0 m；垂直敷设小于或等于 2.0 m。钢索悬吊敷设：水平敷设小于或等于 0.75 m；垂直敷设小于或等于 1.5 m。

(3)明敷设电缆的接头盒，其托板、隔板应齐全，托板、隔板的长度比接头两端各长出 0.6 m 以上。

(4)电缆进入电缆沟、隧道、竖井、建筑物及盘柜时，其出入口应封闭。

六、电缆终端头与电缆接头

(一)制作要求

(1)制作工艺应符合相关工艺规程要求。

(2)线芯绝缘应无损伤，包绕绝缘层间无空隙和折皱。

(3)灌筑型电缆头应填充饱满，无气泡。

(4)连接线芯用的连接管和线鼻子，其规格应与线芯相符，压接或焊接表面应光滑、清洁且连接牢固。

(5)直埋电缆接头盒的金属外壳及电缆的金属护套应经防腐处理。

(二)电缆终端头和接头成型后的检查

(1)密封完好，无渗漏。电缆两端、终端头各相相位应一致。

(2)电缆终端头、接头的接地线应采用截面积大于 $10~mm^2$ 的铜铰线，且接地良好，单芯电缆护层的接地应符合设计规定。

(3)电缆终端头和接头的金属部件油漆应完好，相色正确。

七、电力电缆的电气试验

(1)绝缘电阻测量合格标准：1 kV 及以下电缆用 1 000 V 兆欧表测量，3～35 kV 电缆用 2 500 V 兆欧表测量，绝缘良好。

(2)绝缘电阻测量优良标准：绝缘电阻测量值应不大于表 7-14 中的数值。

(3)直流耐压试验及泄漏电流测量应符合以下要求：

直流耐压试验标准见表7-18。

表7-18　直流耐压试验标准

试验标准	不同电缆类别额定电压(kV)							
	黏性纸绝缘		不滴流油浸纸绝缘			橡胶塑料绝缘		
	3~10	15~35	6	10	35	6	10	35
试验电压	6 U	5 U	5 U	3.5 U	2.5 U	4 U	3.5 U	2.5 U
试验时间(min)	10	10	5	5	5	15	15	15

注：U 为标准电压等级的电压。

泄漏电流测量、试验过程中泄漏电流值应稳定。

黏性油浸纸绝缘电缆泄漏电流的三相不平衡系数也不作规定。

第十一节　保护网安装工程检测技术

一、保护网制作

(1)尺寸的允许误差应符合下列要求：高度误差小于或等于 3 mm；宽度误差小于或等于 2 mm；对角误差小于或等于 3 mm。

(2)组装焊接应符合下列要求：①型钢应平直，焊后无扭弯现象。②门网应固定牢固，无明显的凸凹现象。③框架应平整、不斜扭。④焊缝应平整，无夹缝、漏焊现象。

二、保护网安装

(一)基础埋设

基础埋设应符合下列要求：

(1)基础应高出抹平面地面 10 mm。

(2)水平误差每米不超过 1 mm。

(二)保护网安装

保护网安装应符合下列要求：

(1)与保护网设备及建筑物间的距离应符合现行规范中关于室内外配电装置安全距离的规定。

(2)安装允许偏差应符合以下要求：倾斜度小于或等于 0.1%；全长水平误差小于或等于 5 mm。

(三)其他

(1)成列的保护网应安装在同一直线上。

(2)网门开启灵活，且只能向外侧开启，门锁应齐全。

(3)保护网油漆完整，编号标志清楚，接地应牢固。

第十二节 蓄电池安装工程检测技术

一、一般规定和要求

(1)适用于 48 V 及以上、容量大于 100 A·h 的固定型(防酸隔爆式和开口式)铅蓄电池组安装工程的质量检验,电压较低、容量小于 100 A·h 的蓄电池组安装质量检验可参照执行。

(2)蓄电池室的通风、采暖、防爆、防水及照明等设施的安装均应符合现行规范的有关规定,并应符合设计要求。

二、检查项目和标准

(一)母线及台架安装

母线及台架安装应符合下列要求:

(1)硬母线安装质量应符合有关要求,电缆安装质量也应符合规范要求。

(2)母线金属支架及绝缘体铁脚均应涂刷耐酸漆。

(3)母线支持点间距小于 2 mm,母线与建筑物或接地部分的间距大于 50 mm。

(4)母线应平直、排列整齐、弯曲度一致。母线全长均应涂刷耐酸相色漆,相色正确。

(5)母线与绝缘固定的绑线、铜母线截面积应大于 2.5 mm^2。

(6)母线焊接应牢固,表面光滑,母线与电池连接的端头应搪锡且连接紧固。

(7)电缆引出线应有正、负极性标志,电缆穿管口应用耐酸材料密封。

(8)穿墙接线板应为耐酸、非可燃又不吸潮的绝缘材料,接线板与固定框架之间以及固定螺栓处应放置耐酸密封垫。

(9)开口式蓄电池木台架应涂刷耐酸漆,台架之间不得用金属连接固定。台架安装平直不歪斜,台架与地面之间应有绝缘垫绝缘。

(二)蓄电池安装

蓄电池安装前的外观检查应符合下列要求:

(1)部件齐全,无损伤。

(2)防酸隔爆式蓄电池池槽无裂纹,槽盖密封良好,接线端柱无变形,极性正确。

(3)开口式蓄电池玻璃槽厚度均匀、无裂纹、无渗漏,极板平直,无受潮及剥落。

(三)防酸隔爆式蓄电池安装

防酸隔爆式蓄电池安装应符合下列要求:

(1)安装平稳,蓄电池的排列符合设计要求,间距符合制造厂规定,蓄电池与墙壁距离应大于 150 mm。

(2)蓄电池与台架间垫 4～5 mm 厚耐酸绝缘垫。池槽高低应一致,排列需整齐。

(3)接线正确,螺栓紧固。

(4)池槽编号清晰、正确。

(四)开口式蓄电池安装

开口式蓄电池安装应符合下列要求:

(1)安装平稳,池槽高低一致,排列整齐,玻璃盖板完整齐全。

(2)极板正、负极片的规格、数量应符合产品的技术要求,极板相互平行,间距相等,极板组两侧弹簧弹力充足。

(3)极板焊接应无虚焊、气孔,焊后应无变形及破损。

(4)连接条及抽头的接线应正确,螺栓需紧固。

(5)池槽编号应清晰正确。

(五)电解液

电解液配制与灌注应符合下列要求:

(1)配制电解液所用的硫酸应符合化工有关标准,并具有产品合格证件。如采用其他品级硫,其性能应符合现行规范的有关规定。

(2)电解液比重应符合产品技术规定,20℃时为 1.125 ± 0.005。

(3)注入蓄电池的电解液面高度应在高低液面线之间(开口式蓄电池液面应高出极板上部 $10 \sim 20$ mm)。

(六)蓄电池充电检查

蓄电池充电检查应符合下列要求:

(1)蓄电池充电应符合产品的技术规定,无过充现象。

(2)初充电的质量标准应符合以下要求:①电池的电压、电解液比重在 3 h 内应连续稳定不变,且其数值应符合产品规定。②电解液产生大量气泡,充电容量达到产品的优良技术要求,在充电容量接近产品的技术要求即合格标准。③电解液混合均匀,液面高度应调整到规定值。

(七)蓄电池首次放电

蓄电池首次放电应符合下列要求:

蓄电池首次放电应按产品的技术规定进行,不应过放。放电终了的质量应满足以下标准。

1. 合格标准

每个电池的最终电压及电解液的比重基本符合产品的要求,不合格产品的电池数量应小于或等于蓄电池平均电压差,即小于或等于 1.5%,电压不合要求的电池数量小于或等于蓄电池组总数的 5%,25℃时的放电容量应达到其额定容量的 85%。充、放电结束后检查极板情况,极板无弯曲、变形或严重剥落。

2. 优良标准

每个电池的最终电压及电解液的比重应符合产品的技术要求,不合要求的电池电压与整组蓄电池中的电池平均电压差应小于或等于 1%;电压不合要求的电池数量应小于或等于蓄电池组总数的 3%,平均电压差小于或等于 1%;电压不合要求的电池数量应小于或等于蓄电池中电池总数的 3%。25℃时的放电容量应达其额定容量的 90%,充电结束后检查极板情况,极板应无弯曲、变形或严重剥落。

(八)蓄电池组的绝缘电阻

测量蓄电池组的绝缘电阻，应符合下列要求：

(1)用 500 V 兆欧表测量，110 V 蓄电池组应大于或等于 0.1 MΩ，220 V 蓄电池应大于或等于 0.2 MΩ。

(2)蓄电池切换器的安装应符合现行规范的有关规定。

第十三节　电气照明装置安装工程检测技术

一、一般规定和要求

适用于电站厂房内外变电站电气照明装置安装工程的检验。

二、线管配线检查项目和质量标准

(一)钢管加工

钢管的加工应符合下列要求：

(1)线管弯曲处应无折皱、凹穴和裂缝，弯曲程度应不大于管外径的10 %。

(2)配管的弯曲半径应符合下列要求：①明配管应大于或等于 $6D$，一个弯头的配管应大于或等于 $4D(D$ 为管外径)。②明配管应大于或等于 $6D$。③埋设于地下或混凝土楼板的配管应大于或等于 $10D$。

(二)管线敷设

管线的敷设应符合以下要求：

(1)明配管水平、垂直敷设的允许偏差均应小于或等于 0.15%标准值。

(2)敷设于潮湿场所的线管口，管子连接处应加密封。

(3)按现行有关规范规定涂刷防腐漆。

另外，硬塑管敷设也应符合现行有关规范要求。

三、线管连接和固定

(1)线管连接应牢固、严密。

(2)钢管线管应固定牢固、排列整齐。管长与终端或电气器具间的距离应符合现行规范的有关要求，允许偏差见表 7-19。

表 7-19　线管连接固定的允许偏差

项次	项目	允许偏差(mm)	检验方法
1	固定点间的间距	50	用钢尺和吊线检查
2	同规格钢管间距	5	
3	固定后钢管的水平度(在任何 2 m 段内)	3	
4	固定后钢管的垂直度(垂直敷设在任何 2 m 段内)	3	

四、线管配线

(1)穿管绝缘导线芯最小截面：铜芯 $1\ mm^2$，铅芯 $2.5\ mm^2$。

(2)管内导线不得有接头和扭接，绝缘应无损伤。

(3)管内导线总截面面积应小于或等于管截面面积的 40%。

(4)配线布置应符合设计图纸要求。

(5)接线紧固，导线绝缘电阻应在 $0.5\ M\Omega$ 以上。

五、瓷夹、瓷柱、瓷件等配线的检查

(1)瓷夹、瓷柱、瓷件、瓷瓶及支架应符合下列要求：平整、牢固、排列整齐。瓷件等清洁完整、间距均匀、高度一致。

(2)导线敷设应符合下列要求：①导线不得有扭结、死弯和绝缘层损坏等缺陷。②导线敷设应平直整齐、绑扎牢固，穿过梁、墙和楼板等处应有保护管。越跨伸缩缝和沉降缝的导线应有适当裕度，导线两端应固定牢固。③线路中心线和线间距离的允许偏差见表 7-20。

表 7-20　线路中心线和间距的允许偏差

项次	项目	允许偏差(mm)		检验方法
		水平线路	垂直线路	
1	瓷夹配线线路中心线	5	5	用拉线、吊垂球和钢尺测量
2	瓷柱、瓷瓶配线线路中心线	10	5	
3	瓷柱、瓷瓶配线线路间距	10	5	

六、塑料护管线配线的检查

(一)导线敷设

(1)导线不得有扭绞、死弯和绝缘层损伤等缺陷。

(2)敷设应平整，固定牢固，穿过梁、墙及跨越楼板等处应加保护管。跨越伸缩缝，沉降缝的导线应有适当裕度，导线两端应固定牢固。

(3)线路固定点的间距、水平、垂直的允许误差，应符合以下要求：用拉线、吊线和钢尺检查，固定点间距应小于或等于 5 mm，水平度应小于或等于 5 mm，垂直度小于或等于 5 mm。

(二)其他要求

(1)导线应连接牢固，绑扎紧密，不损伤芯线。

(2)导线之间及对地绝缘电阻值应大于或等于 $0.5\ M\Omega$。

七、照明配电箱(板)安装

照明配电箱(板)安装应符合下列要求：

(1)配电板底边与地面距离应大于或等于 1.8 m，配电箱底边与地面距离应大于或等于 1.5 m。

(2)配电箱安装垂直允许偏差应小于或等于 3 mm，暗设的箱面板应紧贴墙壁，箱(板)

应安装牢固，油漆完整。

(3)配电箱(板)上回路标志应正确、清晰。

八、配电箱(板)内电器安装

配电箱(板)内电器安装应符合下列规定：

(1)排列整齐、固定牢固。

(2)380 V 及以下电压的裸露载流部分与非绝缘金属部分间表面距离应大于或等于 1.5 m。

(3)导线间、导线与电器间的连线应紧固，接触良好，导线引出板面部分应套绝缘管。

九、配电箱(板)绝缘检查

配电箱(板)绝缘检查应符合下列要求：用 1 000 V 兆欧表测量绝缘电阻，限值应大于或等于 0.5 MΩ。

十、灯器具安装的标准

灯具配件齐全，无机械损伤、变形、油漆剥落等缺陷。

灯具所用导线线芯最小截面应符合现行有关规范要求。

一般灯具及开关、插座安装应符合以下要求：

(1)灯具、开关、插座安装平整牢固、位置正确、高度一致，开关应切断相线。暗开关、暗插座应贴墙面。

(2)成排灯具开关安装的允许偏差应符合下列要求：成排灯具中心允许偏差应小于或等于 5 mm；暗开关垂直度应小于 0.15%，相邻高低差应小于 2 mm，同室内高、低差应小于 5mm。

(3)同场所的交流、直流或不同电压的插座应有明显区别，不应互相插入。

(4)灯具吊杆用钢管直径应大于或等于 10 mm。

(5)日光灯和高压水银灯与其附件的配套规格一致。

十一、顶栅上灯具的安装要求

(1)灯具应固定在专设的框架上，电源线不应贴近灯具外壳。

(2)矩形灯具边缘应与顶棚面装修直线平行。对称安装灯具，纵横中心轴线的偏斜度应小于或等于 5 mm。

(3)日光灯管组合的灯具、灯管应排列整齐，其金属间隔片应无弯曲、扭斜缺陷。

十二、其他项目

(1)三相四线制照明系统各相负荷应分配均匀。

(2)照明电源电压变化应小于或等于 ± 5%。

(3)金属卤化物灯的电源线应经接柱连接，电源不得靠近灯具表面，灯具与触发器和限流器必须配套使用。

(4)室外照明灯具安装高度大于 3 m，墙上安装高度应大于 2.5 m，且应固定牢固。

(5)投光灯的底座应固定牢固，光轴方向应符合实际需要，框轴拧紧固定。

(6)事故照明应有专门标志。

(7)必须接地或接零的灯具金属外壳与接地(接零)网之间应用螺栓连接牢固。

(8)整个照明系统的灯具试亮，有90%以上能达到正常照明要求。

第十四节 硬母线装置安装工程检测技术

一、一般规定与要求

(1)硬母线装置安装用的所有紧固件应为镀锌制品。接线端子用的紧固件和母线接头尚需符合现行国家技术标准。

(2)用于硬母线装置(硬母线、绝缘子、穿墙套管)制作安装工程检测。

二、硬母线制作安装的检查项目和质量标准

母线外观检查的要求如下：

(1)母线表面应光洁平整，无裂纹、折叠、夹杂物及变形、扭曲等缺陷。

(2)成套供应的母线还应符合下列要求：①各段标志清晰、附件齐全，外壳无变形，内部无损伤。②各焊接部位的质量应符合现行规范的相关规定。③螺栓连接的母线搭接面应平整，镀银层应覆盖完好，无麻面起层。

三、铜、铝母线

对无出厂合格证的铜、铝母线，其尺寸允许误差应符合表7-21的规定。

表 7-21 母线尺寸允许误差值

母线类别	标称尺寸 (mm)	宽度误差值 (mm)	厚度误差值 (mm)	外径误差值 (mm)	管壁厚 误差值 (%)	不圆度不大 于外径的百 分数(%)
铝母线	25	± 0.13	± 0.1			
	25.5~35	± 0.15	± 0.15			
	40~100	± 0.30	—			
	112~125	± 0.30	—			
铜母线	25~35.5	± 0.4	± 0.3			
	40~100	± 0.8	—			
	112~125	± 1.2	—			
铝合金 管母线	36~50			± 0.30	± 10	± 0.6
	52~70			± 0.35		
	75~120			± 0.50		
	125~150			± 2.70	± 10	± 7~ ± 10
	155~200			± 3.60		
	205~250			± 4.80		

四、硬母线加工

母线应校正平直，切断面应平整。

母线弯制应符合以下要求：

(1)母线开始弯曲处至最近处绝缘子的母线支持夹板边缘的距离应大于 50 mm，而小于 0.25 L(L 为母线两支持点间的距离)。

(2)母线开始弯曲处距母线连接位置的距离应大于 50 mm。

(3)矩形母线弯曲处不得有裂纹及显著折皱，弯曲半径应大于表 7-22 的数值。

表 7-22   矩形母线弯曲半径值

弯曲类别	母线截面(mm)	最小弯曲半径(mm)			备注
		铜	铝	钢	
平弯	50×5 及其以下	2a	2a	2a	
	125×10 及其以下	2a	2.5a	2a	a 为母线厚度
立弯	50×5 及其以下	1b	1.5b	0.5b	b 为母线宽度
	125×10 及其以下	1.5b	2b	1b	
圆棒	直径 16 及其以下	50	70	50	
	直径 30 及其以下	100	150	150	

(4)多片母线的弯曲程度应一致。

(5)母线扭转 90° 时，扭转部分的长度应大于 2.5 倍母线宽度。

五、铝合金管形母线的加工制作

(1)切断管口应平整并与轴线垂直，管口的坡口光滑、无毛刺。

(2)按制造长度供应的铝合金管，弯曲度不应超过下列数值：公称外径 150 mm 及其以下，每米弯曲小于或等于 3 mm；公称外径 150～250 mm，每米弯曲小于或等于 4 mm。

(3)有特殊设计要求者，应满足其设计要求。

六、分裂母线的加工制作

(1)主材管的弯曲要求与铝合金管的弯曲度的要求相同。

(2)母线静触头板对中心偏差小于或等于 ±5 mm。

(3)母线中心偏心度小于或等于 ±5 mm。

(4)母线腹管煨弯时，其偏心度小于 ±2 mm。

(5)母线对接焊口距母线支持器的距离大于或等于 50 mm。

(6)主材管焊口部位应错开 500 mm 以上。

(7)有特殊设计要求者，应符合其要求。

七、硬母线安装

硬母线连接方式正确，严禁采用锡焊接或用螺纹接头连接。

母线的搭接还应符合以下要求：

(1)母线搭接面应按现行规范的有关规定进行处理。搭接面应平整、无氧化膜，并涂电力脂。连接螺栓的垫片及锁紧螺母应齐全、连接紧固、受力均匀，相邻螺栓垫圈间净距应大于 3 mm。

(2)母线连接后，其接触面应紧密，用 0.05 mm×10 mm 塞尺检查应符合下列要求：母线宽度在 63 mm 及以上，塞入深度不超过 6 mm；母线宽度在 56 mm 及以下，塞入深度不超过 4 mm。

也可用测量接触电阻的方法，要求接触面增加的电阻值小于同长度母线本身电阻值的 20%。

(3)矩形母线的搭接尺寸应符合现行规范的有关规定。

(4)采用螺栓搭接的矩形母线，其连接处距支柱绝缘子的支持夹板边缘应大于或等于 50 mm，上片母线端头与下片母线平弯开始处的距离应大于 50 mm。

(5)母线与螺杆形端子连接时，母线的孔径和接线端子直径的差值小于 1 mm。螺母接触面应平整，丝扣无氧化膜。

八、硬母线的焊接

(1)焊接对口平直，其弯折偏移和中心偏移允许误差值如下：弯折偏移小于或等于 0.2%，中心偏移小于或等于 0.5 mm。

(2)对接焊缝部位与支持绝缘子夹板边缘距离应大于 50 mm，同相母线不同片上直线段对接焊缝错开距离应大于 50 mm。

(3)管型母线焊接：当管厚度小于或等于 5 mm 时，对缝间距为 1~3 mm，管厚度为 6~20 mm 时，对接焊缝应采用 V 形坡口，坡度为 35°，钝边 1~3 mm，焊接接口应位于衬管中央。衬管与母线间隙应小于 0.5 mm。

(4)焊接后的检查应符合下面标准：

合格标准：焊缝无肉眼可见裂纹及未焊透、未焊全等缺陷，咬边深度应小于母线厚度的 10%，其总长度小于焊缝长度的 20%。

优良标准：焊缝无肉眼可见的裂纹、凹陷、气孔、夹渣等缺陷，咬边深度小于母线厚度的 5%，其总长度小于焊缝长度的 10%。

(5)焊线在支柱绝缘子上固定应满足以下要求：①金具与绝缘子间固定应平整牢固。②交流母线工作电流大于 1 500 A 时，每相交流母线的金具间不应形成闭合磁路。

九、母线补偿器安装

母线补偿器安装应满足以下要求：

(1)补偿器的装设应符合设计规定。

(2)补偿器应无裂纹、折皱或断股现象，组装后的总面积应大于 1.2 倍的母线截面面积。

(3)采用多片螺栓连接的补偿器，各片间应无氧化膜，并按现行有关规范规定涂镀保护层。

十、铝合金管形母线的安装

铝合金管形母线的安装质量应满足以下要求：

(1)母线配置应符合设计规定和规范有关要求。

(2)同一相管段应在同一垂直面上，三相母线管段应平行。母线表面应光滑，无毛刺或凸凹不平，并加有防晕装置。

(3)螺栓型线夹与导体接触面应涂氧化膜并涂刷电力脂，螺栓用力矩扳手紧固。

十一、母线绝缘子与穿墙套管的检查

(一)外观检查

(1)瓷件应完整、无裂纹。

(2)法兰胶合处填料应填充密实，结合牢固。

(二)电气试验

(1)绝缘电阻用 1 000 V、2 500V 兆欧表测量，应满足下列要求：①35 kV 及以下的支持绝缘子的绝缘电阻应大于或等于 500 MΩ。②穿墙套管绝缘电阻应大于或等于 1 000 MΩ。

(2)工频耐压试验应符合下列标准：①35 kV 及以下支持绝缘子试验电压符合规范标准。②耐压试验应无闪络和击穿。

(3)支柱绝缘子安装应符合下列要求：①同一平面或垂直面上的支柱绝缘子顶面应在同一平面上，其允许偏差应小于或等于 3 mm。母线直线段的支柱绝缘子安装中心线同一直线上的允许误差小于 ±5 mm 为合格，小于或等于 ±2 mm 为优良。②母线与支柱绝缘子的接触面应平整，连接螺栓应齐全，固定牢固。

十二、穿墙套管安装

(1)安装孔径与套管间应有 5 mm 间隙，套管应固定牢固。

(2)1 500 A 以上套管的安装应做隔磁处理。

十三、其他要求

(1)母线连接处钻孔应垂直，孔眼间中心误差应小于或等于 ±0.5 mm。

(2)母线接触面必须加工平整，无氧化膜。加工后截面减小值要求如下：铜母线应小于原截面的 3%，铝母线小于原截面的 5%。

(3)母线的配置应该符合设计要求。相同布置的主母线引下线及设备连接线要求对称一致，横平竖直，整齐美观。

(4)插接母线槽的安装要求应按现行有关规范规定进行。

(5)重型多片矩形母线的安装应符合现行规范有关规定。

(6)高压封闭母线的安装应符合设计要求和有关规范规定。

(7)母线间、母线与建筑物等的间距应符合室内外配电装置安全距离的规定。

(8)母线安装完毕，按规范有关规定涂刷相色漆，要求相色正确、漆层均匀。

(9)母线相序排列应符合现行规范的有关规定。

第十五节　控制保护装置安装工程检测技术

一、一般规定和要求

用于交流控制保护装置及二次回路安装的质量检验。

二、控制保护盘柜安装

(一)基础型钢埋设安装

(1)基础型钢埋设安装质量的检查项目、标准、检验方法见表7-23。

表 7-23　基础型钢埋设安装检查项目、标准、检验方法

项次	项目		允许偏差(mm)	检验方法
1	不直度	每米	1	用钢尺、线锤、水平尺检验
		全长	5	
2	水平度	每米	1	
		全长	5	

(2)型钢接地可靠,型钢顶部应高出抹平地面10 mm。

(二)盘柜安装

(1)盘柜安装检查项目、标准、检验方法见表7-24。

表 7-24　盘柜安装检查项目、标准、检验方法

项次	项目		允许偏差(mm)	检验方法
1	垂直度(每米)		1.5	用线锤、钢尺、水平尺检查
2	水平度	相邻两柜顶部	2	
		成列盘柜顶部	5	
3	水平度	相邻两柜框边	1	用线锤、钢尺、水平尺检查
		成列盘柜面	5	
4	盘柜间缝隙		2	用塞尺检查

(2)盘柜本体与基础型钢采用螺栓连接,连接应牢固。

(3)盘面应清洁,漆层完好,盘面标志齐全、正确、清晰。

(4)柜门开关应灵活,周围缝隙小于1.5 mm,门锁装配齐全、动作灵活、无卡阻。

(5)盘柜接地牢固、可靠,装有电器的可动门应用软导线与接地体可靠连接。

(三)盘上电器安装

(1)所有电器外观质量完好,显示准确,安装位置正确,固定牢固。

(2)继电保护装置和电气测量仪表应经检验合格,继电器整定正确,动作灵敏、准确、可靠,电气测量仪表等级符合要求,指示准确。

(3)信号装置完好，显示正确，工作可靠。

(4)电流试验及切换板装置应接触良好，相邻压板间距离应能保证压板的正常操作。

(5)操作切换把手动作灵活，接点分合准确可靠，弹簧弹力充足。

(6)端子板无损坏，固定牢固，绝缘良好，标志齐全、清楚、正确。

(7)盘柜上各电器、端子排等编号、名称、用途及操作位置等标志清楚、正确。

(四)盘上小母线安装及检验

(1)小母线应平直，固定牢固，连接处接触良好。

(2)小母线与带电金属体之间的电气间隙应大于或等于 12 mm。

(3)绝缘电阻测量，电阻值应大于或等于 10 MΩ。

(4)交流耐压试验：试验电压标准为 1 000 V，耐压时间为 1 min，应无异常(母线绝缘电阻在 10 MΩ以上时，可用 2 500 V 兆欧表示，时间 1 min)。

(5)小母线涂漆漆色符合现行有关规范要求，母线两侧标志牌齐全，标志清楚、正确。

(五)二次回路

1．一般规定

(1)二次回路连接件均应为铜质制品，回路接线应用铜芯绝缘导线或铜芯电缆。电压回路线芯截面不小于 1.5 mm^2，电流路线芯截面不小于 2.5 mm^2。

(2)二次回路带电体之间或带电体与接地体之间电气间隙大于或等于 4 mm，漏电距离大于或等于 6 mm。

(3)导线及电缆芯线束的排列应符合以下要求：①排列整齐美观，横平竖直，不交叉。②导线长度超过 200 m，或用于连接可动部分的导线，应加可拆卸的线卡子或扎带绑扎。

(4)沿金属盘面及支架明敷时，线束应按下列间隔距离固定：

绝缘导线：垂直敷设时 200 mm；水平敷设时 150 mm。

电缆：垂直敷设时 400 mm；水平敷设时 300 mm。

2．配线和接线

(1)对制造厂提供的盘内接线，应对照图纸检查，发现错误应予以改正。

(2)安装时，应按图纸要求正确配线和接线，导线不应有接头，绝缘完好，剥切不伤线芯。

(3)导线及电缆线芯标志应齐全、正确、明显、不脱色且字迹清楚。

(4)每个端子板的每侧接线不得超过二根。

(5)导线与电器或端子板的连接用螺钉连接牢固，多股软导线端部应绞紧，无松散或断股，且导线应留有备用长度。

3．二次回路的检验

二次回路的检验应分操作、控制保护、信号等不同回路逐一检验。

(1)回路接线经查对正确无误。

(2)用 500 V 兆欧表检查，回路绝缘电阻应大于或等于 1 MΩ，潮湿地区允许在0.5 MΩ以上。

(3)交流耐压试验：试验电压标准为 1 000 V，耐压时间 1 min，不出现异常(如回路绝缘电阻在 1 MΩ以上，可用 2 500 V 兆欧表代替，试验时间 1 min)。

三、端子箱(板)制作安装

(一)端子箱制作

(1)端子箱铁板厚度为 2～3 mm。

(2)制作尺寸应符合图纸要求。长、宽、高各部尺寸误差应小于 ± 2 mm，对角线误差应小于或等于 1.5 mm。

(3)端子箱门应关合严密，周围缝隙应小于 1.5 mm，门锁齐全灵活。

(二)端子箱安装

(1)安装应牢固，密封良好，并安装在便于运行检查的位置。

(2)成列安装的端子箱应排列整齐。

(三)端子板安装

(1)固定牢固，端子板及其零件完整齐全，无损坏，绝缘良好，标志齐全、清楚、正确。

(2)便于更换，接线方便，每个端子每侧接线不得超过 2 根，接线螺钉紧固，所有接线应排列整齐。

(四)模拟动作试验和试运行的标准

合格标准：模拟动作试验过程中电器元件及电气回路中出现的异常情况已处理，初试运行过程中未出现过影响正常运行使用的缺陷。

优良标准：模拟动作试验及试运行过程中各电器元件及电气回路均应动作正常。

第十六节　接地装置安装工程检测技术

一、一般规定和要求

（1）适用于电气装置接地工程的质量检验工作。

（2）接地和接地线的规格应符合规范中的相关规定。

（3）接地装置的布置应符合设计图纸要求。

（4）接地工程的隐蔽部分应经中间检查和验收检查，验收记录完整。

二、接地装置安装的检查项目和质量标准

(一)接地装置的敷设

（1）接地体埋入地面深度应大于或等于 0.6 m。

（2）垂直接地体间距和水平接地体间距应符合设计要求。

（3）接地体与建筑物间的距离应大于 1.5 m。

(二)明敷接地线的安装

（1）地线固定支持体间距：水平部分为 1～1.5 m，垂直部分为 1.5～2 m，转弯部分为 0.5 m，支持件应固定牢固。

（2）接地线应平直，安装牢固。

（3）沿建筑物墙壁水平敷设的接地线与地面距离 250~300 mm，接地线与墙壁间隙为 10~15 mm。

(4)跨越伸缩缝和沉降缝时应有补偿器。

(5)接地线应按现行有关规范规定的漆色涂刷油漆标志。

(6)临时接地场所接地线的接线板和螺栓应齐全，装设位置应符合要求。

(三)接地装置的连接

检查接地网外露部分、隐蔽部分，并检查验收记录。

(1)接地体与接地干线应采用搭接焊接，并符合以下要求：①焊接牢固，焊缝应无裂纹、气孔等缺陷。②焊接长度要求：扁钢为其宽度的 2 倍，且至少有 3 个棱边焊牢，圆钢为其直径的 6 倍，圆钢与扁钢的焊接长度为圆钢直径的 6 倍。

(2)电气装置的每个接地部分均应有单独的接地线与接地网连接。不准有几个接地部分同时串接在一根接地线上。

(四)避雷针(线)的接地

(1)独立避雷针应有独立的接地装置，接地线与总接地网的地中距离应大于或等于 3 m。

(2)构架上的避雷针与接地网的连接点至变压器与接地网连接点之间沿接地体的长度应大于 15 m。

(3)避雷针的接地带敷设应平直，连接处应采用电焊焊接，焊接截面不小于 48 mm^2，厚度不小于 4 mm。

(五)接地电阻

接地装置的接地电阻应符合表 7-25 的规定。

表 7-25　接地装置接地电阻

名称	接地装置特点		接地电阻(Ω)
大接地短路电流系统	一般电阻率地区		小于或等于 0.5，或满足设计要求
	高电阻率地区		小于或等于 5，或满足设计要求
小接地短路电流系统	仅用于高压电力设备的接地装置		$R \leqslant \dfrac{250}{I}^① \leqslant 10$
	高低压电力设备共用的电力装置		$R \leqslant \dfrac{120}{I} \leqslant 10$
	高电阻率地区	高压和低压电力设备	小于或等于 30
		发电厂和变电所	小于或等于 15
低压电力设备	并列运行的发电机、变压器等电力设备的总容量不超过 100 kVA 时重复接地		$R^②=10$
独立避雷针	一般电阻率地区		工频接地电阻小于或等于 10
防静电接地			工频接地电阻小于或等于 30

注：①I 为计算用的接地短路电流；
　　②R 为接零保护电力网中变压器的接地电阻。

第十七节　起重机电气设备安装工程检测技术

一、一般规定和标准

适用于额定电压为 500 V 以下桥式、门式起重机电气设备安装工程的质量检验要求。

二、检查项目和质量标准

(一)绝缘子及支架安装
(1)绝缘子应清洁，无裂纹和伤痕，绝缘良好。
(2)支架应平稳平整、牢固，间距均匀，并应在同一水平面上或垂直面上。

(二)滑线安装
型钢滑线安装的要求：
(1)相邻滑接线导电部分之间及导电部分对接地部分之间的净距应大于或等于 30 mm。
(2)滑接线应平直、固定牢固。连接处应平滑，其高低差应小于 0.5 mm，滑接面应不生锈。
(3)滑接线与起重机轨道中心线，以及滑接线间距离的允许偏差应符合表 7-26 的规定。

表 7-26　滑接线安装允许偏差

项次	项目	允许偏差(mm)	测量方法
1	滑接线与轨道中心线	小于长度的 0.1%，最大偏差小于或等于 10 mm	用经纬仪、拉线和尺测量
2	滑接线之间的距离	小于长度的 0.1%，最大偏差小于或等于 20 mm	

另外，自由滑接线的弛度应一致，允许偏差应小于 20 mm。
滑接线与电缆线或伸缩缝、沉降缝的跨接线连接应紧密。伸缩缝两边滑接线的滑接面应平滑，高低偏差应小于 1 mm。

(三)滑接器安装
(1)滑接器与滑接线应接触可靠，并有适当压力，滑动需灵活。
(2)接触面应平整、光滑、无锈蚀。绝缘件不得有裂纹、破损等缺陷。
(3)滑接器中心线与滑接线中心线对正，沿滑接线全长任何位置的允许偏差，桥式起重机应小于或等于 15 mm。

(四)软电缆安装
软电缆安装质量应符合现行规范的相关要求。

(五)配线
配线应符合下列要求：
(1)所有导线应为钢芯绝缘线，导线截面面积应大于或等于 1.5 mm^2。

(2)电缆铜管应焊接牢固，室外线管口应向下敷设或有防水措施。

(3)电缆应排列整齐，固定敷设的电缆应牢固，其支持点间距离应小于或等于 1 m。橡套电缆弯曲半径应大于 6 倍电缆外径。

(4)接于屏柜控制器等装置上的导线应排列整齐，导线两端编号应齐全、清楚。

(六)电气设备保护装置安装

1. 电气设备和电气回路

(1)电气设备齐全，不得有缺陷。

(2)固定牢固、排列整齐、油漆完好。

(3)电气设备的接线正确，电气回路动作正常。

(4)低压电器的安装应符合现行规范的有关规定。

(5)配电屏、柜安装应采用螺栓固定牢固，紧固螺栓应有防松措施。

2. 保护装置

(1)电磁制动装置的安装及行程限位开关的动作要求均应符合现行规范的相关规定。

(2)连锁保护装置动作应灵敏可靠。

(3)声光信号装置显示正确、清晰、可靠。

(七)接地和接零

(1)接地部位正确，接地线规格应符合要求。

(2)固定牢固，排列整齐。

三、检验项目和质量标准要求

(一)绝缘电阻测量

绝缘电阻测量(即 500 V 或 1 000 V 兆欧表测量)应符合下列要求：

(1)低压电气设备的绝缘电阻应大于 0.5 MΩ。

(2)配电装置及馈电线路的绝缘电阻应大于 0.5 MΩ。

(3)滑接线各相间及对地的绝缘电阻应大于 0.5 MΩ。

(4)二次回路的绝缘电阻应大于 1 MΩ。

(二)交流耐压试验

交流耐压试验应符合下列要求：

(1)耐压试验标准为 1 000 V，时间 1 min。

(2)动力配电盘和二次回路均应进行交流耐压试验，试验过程中应无异常。

四、起重机试运转和静负荷试运行

起重机设备全部安装完毕，应按规范的相关规定要求进行试运转及静负载试运行，其质量标准应符合以下规定：

合格标准：在试运转过程中曾出现故障或缺陷，经处理故障消除或仍有个别小缺陷，但不影响正常运行，静负载运行应符合现行规范的相关规定。

优良标准：试运转和静负载试运行均应达到现行规范的相关规定。

第八章　升压变电电气设备安装工程检测技术

一、依据

(1)《电气装置安装工程施工及验收规范》(GBJ232—82)。

(2)原水利电力部颁发《电气设备预防性试验规程》。

(3)国家及原水利电力部颁发的《质量管理制度和质量评定办法(试行)》

二、适用范围和一般规定

(1)适用于大中型水电站升压变电工程中下列电气设备安装工程的检测：①额定电压为 35~330 kV 的主变压器。②额定电压为 35~330 kV 的户外高压电气设备及装置。③小型水电站同类工程。

(2)操作试验：试运行或交接验收符合要求，各项技术指标达到或优于 GBJ249.6—88 规范规定。

(3)所有设备器材均应符合国家或原水利电力部颁发的有关技术标准要求。

(4)安装的电器设备必须具有生产合格证，不合格产品不予评定质量等级。

(5)工程竣工后，交接验收时提供的技术资料均应符合验收规范规定。

(6)具备质量检验所需的检测手段和质量检验保证体系。

(7)质量检查、检验所需的工具、仪表、仪器设备均应符合国家规定的等级标准。

(8)隐蔽工程必须在工程隐蔽前检查合格并作出验收记录。

(9)高压电气设备的所有瓷件质量应符合《高压电瓷瓷件技术条件》(GBJ772—77) 的规定。

第一节　主变压器安装工程检测技术

一、一般规定和要求

(1)适用于额定电压为 330 kV 及以下、额定容量在 6 300 kVA 及以上的油浸式变压器安装质量的检验。额定容量在 6 300 kVA 以下的油浸式变压器安装质量检验可参照执行。

(2)油箱及所有附件齐全，无锈蚀或机械损伤，无渗漏现象。

(3)各连接部螺栓齐全，紧固良好。

(4)套管表面无裂缝、伤疤，充油套管无渗油现象，油位指示正常。

二、检查项目和质量标准

(一)器身检查项目和要求

1. 铁芯的检查

(1)铁芯应无变形和多点接地。

(2)铁轭与夹件，夹件与螺杆等处的绝缘应完好，连接部位应紧固。

2. 线圈的检查

(1)绝缘层应完整，无缺损、变位现象。

(2)各组线圈应排列整齐，间隙均匀，油路畅通。

(3)线圈压钉应紧固，绝缘良好，防松螺母锁紧。

3. 引出线的检查

(1)绝缘包扎应紧固，无破损、拧弯现象。

(2)固定牢固，校核绝缘距离并应符合设计要求。

(3)引出线裸露部分应无毛刺或夹角，焊接良好。

(4)引出线与套管的接线应正确，连接牢固。

4. 电压切换装置的检查

(1)无激磁电压切换装置各分装接点与线圈的连接应紧固、正确，接点接触紧密。用 0.05 mm×10 mm 塞尺检查应塞不进去，转动部位应转动灵活、密封良好。指示器指示正确。

(2)有载调压装置的各开关接点应接触良好，分接引线应连接牢固、正确。切换部分密封良好。

5. 变压器箱体的检查

(1)各部位无油泥、金属屑等杂质。

(2)有绝缘围屏者，其围屏应绑扎牢固。

(二)变压器干燥的检查规定

检查干燥记录，各技术数据应符合现行规范的相关规定。

(三)变压器本件及厂件安装

1. 变压器就位前的检查

变压器就位前先检查轨道，应符合以下要求：两轨道间距离允许误差应小于 2 mm；轨道对设计标高允许误差应小于 ± 2 mm；轨道连接处水平允许误差应小于 1 mm。

2. 本体就位检查

本体就位应符合以下要求：

(1)轮距与轨距中心应对正，滚轮应加制动装置，且该装置应固定牢固。

(2)装有气体继电器的箱体，其顶盖应有 1%~1.5%的升高坡度。与封闭母线连接时，套管中心线应与封闭母线中心线相符。

3. 冷却装置安装

冷却装置安装应符合以下要求：

(1)安装前应按规定进行密封试验，无渗漏。

(2)冷却装置与变压器本体及其他部位的连接应牢固，密封良好。管路阀门操作灵活，开闭位置正确。

(3)油泵运转正常，无异常噪音、振动和过热现象。

(4)冷却装置安装完毕，试运行正常，联动正确。

(5)风扇电动机及叶片应安装牢固、转动灵活、运转正常，无振动或过热现象。

4. 有载调压切换装置的安装

有载调压切换装置的安装应符合以下要求：

(1)传动机构应固定牢固，操作灵活，无卡阻。

(2)切换开关的触头及其连接线应完整无损，接触良好，其限流电阻完整、无断裂。

(3)切换装置的工作顺序及切换时间应符合产品出厂要求，机械连锁和电气连锁应动作正确。

(4)位置指示器应动作正常，指示正确。

(5)油箱应密封良好，油的电气强度应符合产品要求。

(6)有载调压切换装置的电气试验符合相关规范要求。

5. 储油柜及吸湿器安装

储油柜及吸湿器安装应符合以下要求：

(1)储油柜应清洁干净，固定牢固。

(2)胶囊式(或隔膜式)储油柜中的胶囊(或隔膜)应完整无损、不漏气，胶囊与储油柜的长轴平行，不扭偏。

(3)油位表动作灵活，其指示与储油柜真实油位相符。

(4)吸湿器与储油柜的连接管应密封良好，吸湿剂应干燥。

6. 套管的安装

套管的安装应符合以下要求：

(1)套管应经试验，并合格。

(2)套管的各连接部位连接应牢固，接触紧密。套管顶部密封垫安装正确，密封良好。

(3)充油套管不渗漏油，油位正常。

7. 升高座安装

升高座安装应符合以下要求：

(1)安装正确，边相倾斜角应符合制造要求。

(2)电流互感器和升高座的中心应一致。

(3)绝缘筒应安装牢固，位置正确。

8. 气体继电器

气体继电器的安装应符合以下要求：

(1)安装前应经检验整定。

(2)安装应水平，与连通管的连接应密封良好。

(3)继电器接线正确。

9. 安全气道的安装

安全气道的安装应符合以下要求：

(1)内壁清洁干燥。

(2)隔膜的安装位置及油流方向应正确。

10. 测温装置的安装

测温装置的安装应符合以下要求：

(1)温度计应经校验。

(2)指示正确，整定值符合要求。

11. 保护装置的安装

保护装置的安装应符合以下要求：

(1)继电保护装置的配备应符合设计要求。

(2)各保护装置应经校验，整定值符合要求。

(3)在操作及联动试验过程中保护装置应动作正常。

(四)变压器油座

(1)应符合绝缘油试验标准。

(2)油中溶解气体的色谱分析：110 kV 及以上、且容量在 8 000 kVA 以上的变压器，应在升压或冲击合闸前及启动试运行 24 h 后各进行一次变压器器身内绝缘油中溶解气体的色谱分析。两次测得的氢乙炔及总烃含量应无显著差别。

(五)其他要求

(1)变压器与母线或电缆的连线应符合《发电电气设备安装单元工程质量评定标准》(SDJ249.5—85)的有关规范规定。

(2)各接地部位应牢固可靠，并按规定涂漆，接地引下线以及引下线与主接地网的连接应满足设计要求。

(3)变压器整体密封检查应无渗漏，且应按下列要求进行：①用油压或气压，其压力为 0.03 MPa。②试验持续时间：35~63 kV 级为 24 h，110 kV 级及以上为 36 h。

三、变压器检查项目和质量标准

(1)测量绕组连同套管一起的直流电阻，应符合下列要求：相间应小于 2%，线间(无中性点引出时)应小于 1%。

三相变压器的直流电阻，如由于结构等原因超过相应规定值时，要与同温度下产品出厂实测数值比较，变化范围亦应小于 2%。

(2)检查所有分接头的变压比，应符合下列要求：额定分接头变压比允许偏差为 ±0.5%，其他分接头变化比与制造厂铭牌数据相比应无显著差别，且应符合变压比的规律。

(3)检查三相变压器的接线组别和单相变压器引出线的极性，应与变压器铭牌及顶盖上的符号相符合。

(4)测量绕组连同套管一起的绝缘电阻和吸收比应符合下列要求：

绝缘电阻值应大于产品出厂试验值的 70%或小于表 8-1 的规定。

吸收比应符合以下要求：10~30℃时，35 kV 电压级的变压器吸收比应大于 1.2；330 kV 电压级的变压器吸收比应大于或等于 1.3。

表 8-1　绝缘电阻值

高压线阻电压等级(kV)	温度(℃)							
	10	20	30	40	50	60	70	80
	绝缘电阻(MΩ)							
35	600	400	270	180	120	80	50	35
63~220	1 200	800	540	360	240	160	100	70
330	2 000	1 340	890	600	400	270	170	120

(5)测量绕组连同套管一起的介损正切值 $\pi g\delta$，应符合下列要求：电压等级在 35 kV 及以上，且容量在 1 250 kVA 以上的变压器被测绕组的 $\pi g\delta$ 值应小于出厂试验数据的 130%，或不超过表 8-2 中的允许值。

表 8-2　介损正切值

高压绕组电压等级	温度(℃)						
	10	20	30	40	50	60	70
	$\pi g\delta(\%)$						
35 kV 以上	1	1.5	2	3	4	6	8
35 kV	1.5	2	3	4	6	8	11

(6)测量绕组连同套管一起的直流泄漏电流，应符合下列要求：直流试验电压为 40 kV，读取 1 min 的泄漏电流值，泄漏电流值不作规定。

(7)绕组连同套管一起的工频耐压，应符合下列要求：绕组额定电压在 35 kV，且额定容量为 8 000 kVA 以下的变压器应进行此项试验。试验电压标准符合规定，而耐压试验中应无异常。

(8)与铁芯绝缘的各紧固件及铁芯引出套管与外壳的绝缘电阻测量，应符合下列要求：用 2 500 V 兆欧表测量，时间 1 min，应无闪络及击穿现象。

(9)非纯瓷套管试验，应符合现行规范中有关规定。

(10)有载调压装置的检查试验，应符合下列要求：①测量电流元件的电阻，其数值与产品出厂测量值比较应无显著差别。②检查快速开关动、静触头的全部动作顺序，应符合产品的技术要求。③检查切换装置的全部切换过程，应无开路现象。④检查切换装置的调压情况，其电压变化范围和变化规律与产品出厂数据相比，应无显著差别。

(11)额定电压下的冲击合闸试验，试验 5 次应无异常现象。

(12)相位检查必须与电网相位一致。

四、变压器试运行的标准

主变压器安装工作全部完成后，应按规范 SDJ249.6—88 规定进行试运行，其质量标准应符合以下规定。

合格标准：试运行过程中发现的缺陷经处理后消除，达到规范 SDJ249.6—88 中关于工程交接验收的有关要求，或有个别微小缺陷，但不影响运行使用要求。

优良标准：试运行过程中未出现异常，且各项技术指标均达到规范 SDJ249.6—88 的有关规定值。

第二节 空气断路器安装检测技术

一、一般规定和要求

(1)适用于额定电压为 330 kV 及以下的空气断路器安装质量的检验评定。

(2)断路器外表完好,所有部件齐全,无锈蚀或机械损伤。

(3)绝缘件清洁,无损伤和变形,绝缘良好。

(4)瓷件清洁无裂纹,高强度瓷套不得修补,瓷套与金属法兰间的粘合牢固、密实,法兰结合面平整,无外伤或砂眼。

(5)安全阀、减压阀及压力表等应经校验合格。

(6)质量评定应在断路器全部安装完毕并经调整和操动试验后进行。

二、检查项目和质量标准

(一)基础或支架

基础或支架各部分允许偏差应符合下列要求:

中心距离及高度允许偏差:应小于或等于 ±10 mm。

预留孔或预埋铁板中心允许偏差:应小于或等于 ±10 mm。

预埋螺栓中心线允许误差:应小于或等于 ±10 mm。

(二)断路器底座

断路器底座安装质量应符合下列要求:

(1)底座安装应稳固,三相底座相间距离误差应小于 ±5 mm。

(2)支持瓷套的法兰面座应水平,三相联动的相同瓷套法兰面应在同一水平面上。

(3)法兰橡皮密封无变形、开裂,密封垫圈压缩量不应超过其厚度的 1/3。

(三)阀门系统

阀门系统的安装应符合下列要求:

(1)活塞、套筒、弹簧、胀圈等零件应完好、清洁,滑动面应涂有符合产品规定的润滑脂,活塞应动作灵活、无卡阻,弹簧压缩程度及各部间隙均应符合产品的要求。

(2)橡皮密封垫圈无变形、裂纹,弹性良好,金属法兰面清洁、平整、无砂眼。

(3)各排气管、孔畅通。

(四)灭弧室

灭弧室的安装质量应符合下列要求:

(1)触头零件应紧固,触指镀银层完好,触指弹簧压力适中。

(2)灭弧室清洁,部件装配尺寸及活塞行程符合产品要求。

(3)测量并联电阻值应符合产品规定,测量并联电容值应不超过产品出厂值的 ±5%,介损值 $\pi g\delta$ 应不超过 0.5%,且内部应无断线,接线接触良好。

(五)传动装置

传动装置安装质量应符合下列要求：

(1)各部件连接可靠，防松螺母应拧紧，转轴应涂有符合要求的润滑脂。

(2)传动装置活动部分动作灵活、正确、无卡阻，胀圈张口应互相错开。

(六)操作机构

操作机构安装质量应符合下列要求：

(1)操作机构固定牢固，底座与基础之间的垫片总厚度不超过±10 mm，各片间应焊接牢固。

(2)空压机的安装应符合《电气装置安装工程施工及验收规范》和《机械设备安装工程施工及验收规范》的有关规定。

(3)空压机控制柜及保护柜的安装应符合现行规范的有关要求。

(4)空气管道敷设应符合现行规范的有关规定。

(5)全部空气管道系统以额定气压进行漏气量检查，在24 h内压降不超过10%。

另外，接地应牢固，接触良好，排列整齐。

检查项目和质量标准及说明见表8-3。

表8-3　检查项目和质量标准及说明

项次	项目	质量标准			说明
1	提升杆绝缘电阻	额定电压(kV)	绝缘电阻值(MΩ)		用2 500 V兆欧表测量
		35	2 500		
		110~330	5 000		
△2	每相导电回路电阻	电阻值应符合产品要求			可参照标准SDJ249—88附录3
3	分合闸电磁铁线圈的绝缘电阻、直流电阻	绝缘电阻值应大于或等于10 MΩ，直流电阻应符合产品要求			
4	支持瓷套及每个断口的直流泄漏电流	泄漏电流应小于10 μA；220 kV及以上的支持瓷套的泄漏电流一般应小于或等于5 μA			试验电压为40 kV
△5	工频耐压试验	试验电压标准见标准SDJ249—88附录1,耐压试验应无异常			
△6	主、辅触头分、合闸配合时间	动作程序及配合时间应符合产品要求			可参照标准SDJ249—88附录3
△7	主触头分、合闸的同时性	应符合产品要求；若产品无规定，相间触头的同期误差应符合下列要求：			
		额定电压(kV)	同期允许误差(ms)		
			合闸	分闸	
		110~220	小于或等于10 ms	小于或等于5 ms	
		330	小于或等于5 ms	小于或等于3 ms	
8	测量操动机构分、合闸电磁铁最低动作电压	测量部件	最低动作电压 U_n(%)		①在额定电压下测量；②括号内数值用于自动重合闸
			不小于	不大于	
		分闸电磁铁	30	85	
		合闸接触器	30	80(65)	

三、调整试验的标准

(一)合格标准

(1)调试过程中发现的影响空气断路器正常运行的缺陷经处理已消除。

(2)调整后的分合闸及自动重合闸的最低动作气压耗气量、动作时间和整组断路器漏气量等技术指标符合产品的技术规定。

(3)辅助切换接点接触良好,动作正确,并与空气断路器分、合闸及自动重合闸的动作可靠配合。

(4)分、合闸位置指示器应动作灵活、可靠、指示正确。

(二)优良标准

(1)调试过程中空气断路器及其操作系统未发现缺陷且动作可靠。

(2)其他各项要求同合格标准。

四、操作试验项目及质量要求

操作试验项目及标准见表 8-4。

表 8-4　操作试验项目及标准

操动类别	操动电源母线电压 U_n(%)	工作气压	操动次数 (分、合)	质量标准	
				合格	优良
合闸 分闸	100 100	额定气压产品说明书规定的最高气压	3次 3次	断路器动作正常	
合闸 分闸	110(80) (有条件时进行)	额定气压	3次	此项不作要求	断路器动作正常
自动重合闸	100	产品说明书规定的最低气压	3次	断路器动作正常	

第三节　六氟化硫组合电器安装工程检测技术

一、一般规定和要求

(1)适用于额定电压为 220 kV 及以下的户内、户外型六氟化硫封闭式组合电器安装检验。

(2)封闭式组合电器的所有元件、附件及专用工具齐全,其规格及数量应符合产品技术要求。

(3)充气的动输部件,其压力值符合产品说明书的规定。

(4)瓷件及绝缘件无裂纹、受潮、变形、层间剥落及破损现象。

二、装配与调整的检查项目和标准

(一)组合元件装配前的检查及要求

(1)所有元件应完整无损。

(2)元件的接线端子、插接件及载流部分应清洁、无锈蚀现象。

(3)各元件气室密封符合要求。

(4)各元件的紧固螺栓齐全、无松动。

(5)接地体及支架应无锈蚀和损伤，接地应牢固可靠。

(6)检验密度继电器和压力表应经检验合格。

(7)母线和母线内壁应无毛刷和凸凹现象。

(8)防爆膜应完好。

三、装配与调整的标准

(1)元件的装配程序和装置编号应符合产品的技术规定。

(2)元件组装的水平、垂直误差符合产品的技术规定，其连接插件的触头中心和插口对准，不得有卡阻。

(3)所有螺栓的紧固均使用力矩扳手，其紧固力矩应符合产品的技术规定。

(4)元件间的电气闭锁动作正确可靠，辅助切换接点接触良好。动作正确可靠，接口对准，不得有卡阻。

(5)导电回路表面应平整、清洁，无氧化膜，接触紧密，载流部分的表面应无凹陷或毛刺。

另外，封闭式组合电器安装的预埋件，其水平误差不得超过产品的技术要求。

符合 SF_6 气体检验及充装要求的有关要求。

四、检验项目和标准

(1)测量主回路的导电电阻，电阻值应小于或等于 1.2 倍的产品规定值。

(2)主回路的工频的耐压试验：工频耐压试验电压值为出厂试验电压的 80%，耐压试验过程中无异常。

(3)密封性试验：用灵敏度不低于 1∶10(体积比)的检漏仪检漏，各气室年漏气率应小于或等于 1%。

五、操动试验的标准

(一)合格标准

(1)电动、气动、自动等的辅助装置在产品规定的使用和运行条件下，以额定电压气动、滚动操作机构应为额定气压或额定液压进行试验，如发现异常，经处理恢复正常后，再连续试验 5 次，组合电器应动作正常。

(2)按产品要求检查连锁与闭锁装置的回路动作正常，其控制和辅助回路的绝缘电阻应大于 $1 M\Omega$。

(二)优良标准

(1)电动(或气动、液动)的辅助装置在产品规定的使用和运行条件下，在辅助能源最不利的极限数值下，连续试验 5 次，组合电器应动作正常。

(2)按产品要求检查连锁和闭锁装置回路，动作应正常，其控制和辅助回路的绝缘电阻应大于 1 MΩ。

(3)其他各项要求同合格标准。

第四节　油浸式互感器安装工程检测技术

一、一般规定和要求

(1)适用于额定电压为 330 kV 及以下、交流 50 Hz 的油浸式互感器安装质量的检测。

(2)互感器的混凝土基础及金属结构安装位置正确，主柱垂直，金属构架焊接质量符合要求。

(3)互感器基础轨道平整，其垂直度应小于 0.15%。

二、检查项目和标准

(一)外观检查

(1)清洁完整，无裂纹、瓷釉剥落或破损等缺陷，瓷铁粘合牢固，附件齐全，无锈蚀或机械损伤。

(2)油位指示器、瓷套法兰连接处及放油阀等处均密封良好，无渗油现象，油位应正常。

(3)变比分接头位置应符合设计要求。

(4)二次接线板完整，引出端应连接牢固，绝缘良好，标志清晰。

(二)安装质量

(1)固定牢固，有轮子的互感器应加制定装置固定。

(2)安装面应水平，并列安装时应排列整齐。

(3)均压环应装置牢固、水平且方向正确。

(4)互感器一次接线连接处应无氧化层且接触良好。

(5)电容式电压互感器安装位置应与制造厂组件编号相符。

(6)保护间隙的距离应符合规定，允许偏差应小于 ±5 mm。

(7)接地部位正确，接地牢固可靠。

三、检验项目和标准

(1)用 2 500 V 兆欧表测量线圈的绝缘电阻，限值不作规定。

(2)线圈外壳的交流耐压试验应符合下列要求：一次线圈交流耐压试验标准见表 8-5。二次线圈交流耐压试验标准为 1 000 V，耐压试验过程中无异常。

表 8-5　一次线圈交流耐压试验标准

额定电压(kV)			0.4 以下	3	6	10	15	20	35	63
最高工作电压(kV)				3.5	6.9	11.5	17.5	23.0	40.5	69.0
交流耐压试验电压(kV)	电压互感器	出厂		18	23	30	40	50	80	140
		交接		16	21	27	36	45	72	126

(3)测量一次线圈连同套管一起的介损正切值 $\pi g\delta$ (%)，即电流互感器、电压互感器介损值分别见表 8-6、表 8-7。

表 8-6　电流互感器介损值

额定电压(kV)	$\pi g\delta$(%)
35	2.5
60~220	2.0
330	1.0

表 8-7　电压互感器介损值

额定电压	温度(℃)				
	5	10	20	30	40
	$\pi g\delta$(%)				
35 kV	2.0	2.5	3.5	5.5	8.0
35 kV 及以上	1.5	2.0	2.5	4.0	6.0

(4)互感器的绝缘油试验符合规范要求。

(5)测量电压互感器的一次线圈的直流电阻，不应超过制造厂测得数值的 ±5%。

(6)测量电流互感器的磁励特性曲线，同型式电流互感器特性相互比较，应无显著差别。

(7)测量电压互感器的接线组别和单相互感器的极性，接线组别或极性必须与铭牌及外壳上的符号相符。

(8)检查三相互感器的接线组别和单相互感器的极性，接线组别或极性必须与铭牌及外壳上的符号相符。

(9)检查互感器的变比，变比应与制造厂铭牌值相符。

(10)测量铁芯紧夹螺栓的绝缘电阻，用 1 000 V 或 2 500 V 兆欧表测量，阻值不作规定。

第五节　软母线装置工程检测技术

一、一般要求和规定

(1)适用于软母线装置(软母线、金具、绝缘子)安装的质量检验。

(2)金属构件的加工配制焊接应符合有关规范的要求，混凝土构架安装应符合现行建筑工程施工及验收规范的有关规定。

(3)所有金具应有产品质量合格证。

二、检查项目和标准

(一)软母线外观检查

(1)无扭结、松股、断股及严重腐蚀等缺陷。

(2)同一截面处损伤面积应小于导电部分总截面面积的 1%。

(3)扩径母线无凹陷、变形，内撑蛇皮管无锈蚀，镀锌良好。

(4)软母线和组合导线在挡距内不得有连接头。

(5)由设备经耐张线夹引出的软母线不得切断。

(二)金具外观检查

(1)所用金具应符合国家标准《电力金具》要求。

(2)规格符合要求，零件配套齐全。

(3)表面光滑，无裂纹、损伤、砂眼、锈蚀、滑扣等缺陷，锌层不剥落。

(三)绝缘子表面等检查

绝缘子表面无裂纹、缺油、破损等缺陷，钢帽、钢脚与瓷件胶合处应牢固，填料无剥落。

(四)软母线架设检查

软母线架设后的检查项目及标准见表 8-8。

表 8-8　软母线架设后的检查项目、标准

项次	项目	质量标准及允许偏差	说明
△1	螺栓耐张线夹连接软母线 ①铝包带包绕 ②连接螺栓	包绕方向与外层铝线方向一致 包绕紧密不重叠 紧固，受力均匀	
2	液压连接导线	线夹表面光滑无裂纹、位置正确，不得歪斜。导线各相邻压接段应重叠 5~8 mm。压接后其导线弯曲度应小于压接管全长的 2%，若超过此值，允许校直，但校直时，压接管口附近导线不应有隆起、松股，且压接管表面应光滑无裂纹或严重锤痕	
3	线夹与器具连接的平面接触	用 0.05 mm×10 mm 塞尺检查，塞入深度应小于塞入方向总深度的 10%	
4	扩径空心导线弯曲度	应大于或等于 30D	D 为导线外径
5	母线弛度与设计值的允许偏差	+5%~−2.5%；同挡距内三相母线弛度应一致	
△6	母线跨接线和引下线的电气距离	应符合室外配电装置的安全距离，各相引下线弧度允许偏差应小于 10%	见标准 SDJ249—88 附录 5
7	组合导线的安装检查	圆环及固定线夹距离误差应大于或等于 ±3%，载流导线与承重导线弛度应一致	
△8	测定软母线装置各电气连接处的接触电阻	应小于同长度导线电阻的 1.2 倍	

(五)悬式绝缘子串的安装

(1)悬式绝缘子串应经交流耐压试验合格，其试验要求见表 8-9。

(2)绝缘子串应与地面垂直，个别绝缘子串允许有小于 5°的倾角。

(3)组合连接用螺栓、穿钉、弹簧销子等应完整，穿向一致，开口销必须分开并无折断或裂纹。

表 8-9 悬式绝缘子串交流耐压试验要求

试验电压(kV)		45	56	60	67.5	70
悬式绝缘子型号	旧型号	X-3 X-3C XP-4C	X-4.5 X-4.5C XP-6 XP-10 XP-16 XP-6C XP-7C LX-4.5 LXP-10 XW-4.5C	XP-21 LXP-16		XP-30 XF-4.5 XWP-6
	新型号	XP-4C (X-3C)	XP-6 XP-7 XP-10 XP-16 LXP-6 LXP-7 LXP-10	XP-21 XP-30 LXP-16 LXP-21 XWP$_1$-6 XWP$_2$-6 XWP$_1$-7 XWP$_2$-7 (XW-4.5) (XW$_1$-4.5)	LXP-30 XWP$_1$-16	

(4)均压环、屏蔽环应安装牢固、位置正确。

第六节 厂区馈电线路架设工程检测技术

一、一般规定与要求

(1)适用于水电站厂区 0.4~35 kV 馈电线路架设的检测。

(2)线路所用导线、金具、瓷件等器材的规格、型号均应符合设计要求，并具有产品合格证件，使用前应经外观检查并需符合规范 SDJ249—88 的有关规定。

(3)电杆基坑的施工及电杆埋设深度应符合设计图纸和规范 SDJ249—88 的有关规定。

二、检查项目和标准

(一)电杆组立

1. 一般规定

(1)电杆上端应封堵严密。

(2)钢筋混凝土电杆焊接后的分段及全长弯曲度均应小于对应长度的 0.2%。

2. 杆身倾斜偏差

(1)35 kV 线路允许偏差，应小于或等于杆高的 0.3%。

(2)10 kV 及以下线路允许偏差，直线杆为杆梢的一半，转角终端杆为一个杆梢。

3. 双杆组立偏差

(1)双杆中心与中心柱之间的横向位移的允许偏差小于 50 mm。

(2)近步允许偏差应小于 30 mm。

(3)两杆高低差应小于 20 mm。

(4)根开允许偏差应小于 ± 30 mm。

(5)组立后，叉梁不应有鼓肚，叉梁铁板、箍与主杆连接应紧密，局部间隙应小于 50 mm。

4. 横担安装偏差

(1)横担端部歪斜应小于 20 mm。

(2)横担端部左、右扭斜应小于 20 mm。

(3)瓷横担允许偏差：垂直安装，顶端顺线路歪斜应小于 10 mm；水平安装，顶端应向上翘起 5°~10°，顶端顺线路歪斜应小于 20 mm。

(4)同杆架设的双回或多回线路，横担间的垂直距离符合规范的有关规定。

(二)拉线安装

1. 35 kV 永久拉线的安装

(1)拉线与杆身夹角误差应小于或等于 1°，偏移应小于或等于 100 mm。

(2)楔形线夹固定的拉线弯曲部分不应有松股及各段受力不均的现象。

(3)拉线断头端应用铁丝绑扎牢固。

2. 10 kV 及以下线路拉线的安装

(1)拉线与杆身的夹角应大于或等于 45°(受环境影响可大于等于 30°)。

(2)拉线与线路方向应对正，角度拉线与线路的分角线应对正，防风拉线与线路垂直。

(3)钢绞线拉线的铁丝线缠绕长度符合规范规定，但应紧密、整齐。

3. 10 kV 及以下拉桩杆拉线的安装

(1)拉线距路面中心应大于或等于 6 mm。

(2)拉桩杆埋设深度应大于或等于杆长的 1/6。

(3)拉桩杆应向张力反方向倾斜 15°~20°。

(4)拉桩坠线与拉桩杆夹角大于或等于 30°。

(5)拉桩坠线上端固定点的位置距拉桩杆顶应为 0.25 m，距地面应大于或等于 4.5 m。

(三)导线架设

(1)导线磨损截面应小于导电部分截面积的 5%，超过 5%~17%范围内，应按规范 SDJ249—88 有关规定进行修补。

(2)导线连接部分线股不应有缠绕不良、断股、松股等缺陷。

(3)采用钳压接续管连接的导线应符合以下规定：①压接后接续管弯曲度应小于管长的 2%，大于 2%时应校正。②压接和校直后的接续管不应有裂纹。③接续管两端的导线不应有鼓包、扭结现象。④接续管两端出口处、合缝处及外露部分应刷漆处理。

(4)同挡距内，同一根导线上的接头不得超过一个；接头位置与导线固定处的距离应大于 0.5 m。

(5)不同金属、不同规格、不同绞向的导线，不得在挡距内连接。

(6)导线弛松度误差应小于设计误差的 ±5%。10 kV 以下线路，同挡内各相导线弧垂应一致，水平排列的导线高低差应小于 50 mm。

(7)导线应固定牢固可靠，并符合规范要求。

(四)电杆上电器设备的安装

(1)符合 SDJ249.5—88 中同类电器设备安装的要求。

(2)符合规范 SDJ249.5—88 的其他有关规定。

三、检验项目和标准

(1)用 1 000 V 兆欧表测量绝缘子和线路的绝缘电阻，应符合下列要求：35 kV 线路，每个绝缘子绝缘电阻应大于或等于 300 MΩ。线路的绝缘电阻值不作规定。

(2)检查相位，各相两侧的相位应一致。

(3)冲击合闸试验，应符合下列要求：在额定电压下，对空载线路冲击合闸 3 次，合闸过程中线路绝缘不应有损坏。

(4)测量杆塔的接地电阻，接地电阻值应符合设计规定。

第七节　油断路器安装工程检测技术

一、一般规定和要求

(1)适用于额定电压为 35~330 kV 户外式油断路器及其操动机构的质量检验。

(2)所有部件应齐全完整、无锈蚀，支持瓷瓶及绝缘套管应清洁、无裂纹，高压瓷件不得修补，瓷铁件应粘合牢固。

(3)油箱应焊接良好，无渗漏油现象且油漆完好。

(4)按有关专业规程规定需进行安装前电气试验的部件(如套管、电流互感器、并联电阻等)，其试验结果应与产品说明书相符。

(5)经内部干燥的多油断路器，其绝缘部件应无脆裂变形，套管应无渗胶，螺栓应紧固。

二、检查项目和标准

(一)基础及支架安装

(1)基础各部分允许偏差符合 SDJ249.5—88 中的相关规定。

(2)金属支架焊接质量应良好，螺栓固定部位应紧固。

(二)断路器本体安装

(1)同 SDJ249.5—88 中有关要求。

(2)三相联动的断路器，其连杆、拐臂应在同一水平面上，且拐臂角度一致。

(3)油箱、顶盖及法兰等处应密封良好，箱体焊缝应无渗油，油漆完整。

(三)管及电流互感器安装

(1)套管介损正切值应符合要求，安装位置应正确，且能保证触头的中心对准和紧密接触，套管法兰垫圈应完好，固定螺栓应紧固并受力均匀。

(2)电流互感器安装位置应正确，固定牢固，互感器的绝缘电阻应符合要求。

(3)电流互感器的引线应无损伤、脱焊等缺陷，接触良好，端子板应完好，编号及接线正确。

(四)导电部分

(1)经调整后的触头行程、超行程、同期各断口间及相间接触的同期性等技术指标均应符合产品的规定。各项技术参数和特性见表 8-10。

表 8-10　油断路器主要技术参数和特性

型号	额定电压 (kV)	额定电流 (A)	额定断流容量 (MVA)	行程 (mm)	超行程 (mm)	固有分闸时间(s)	固有合闸时间(s)	最大分闸速度 (m/s)	最大合闸速度 (m/s)	三相合闸不同期性 (mm)	三相分闸不同期性 (mm)	每相导电回路电阻 (μΩ)	备注
SN₁-10 (SN₁-10G)	10	400 (600)	200			不大于 0.10	不大于 0.23	2.7~3.3	2.6~3.0			小于或等于 95	
SN₂-10 (SN₂-10G)	10	400 (600)	350			不大于 0.10	不大于 0.03	3.0 ± 0.3	2.6~3.0 2.36			95 75	
SN₃-10	10	2 000 3 000	500			0.11~0.14	0.42~0.45	$3.0^{+0.3}_{-0.2}$ 3.0 ± 0.2	1.8 ± 0.3 1.5 ± 0.3			26 16	
SN₄-10 SN₄-10G	10	5 000	1 500 1 800	420^{+20}_{-10}	22 ± 2.5	0.15	0.65	2.2 ± 0.3	2.0~2.55 2.2~2.6	6		50~60 20	
SN₄-20 SN₄-20G	20	5 000、6 000 8 000、12 000	2 500 3 000	500_{-25}	22 ± 2.5	0.15	0.75	$2.2^{+0.3}$	2.0~2.55	5		50~60 20	
SN₈-10/200	10	600 1 000	200	147^{+1}_{-5}	28^{+5}	0.05	0.25		3.0~4.5	4		不大于 100	
SN₇-15	15	600	150	250^{+5}	35 ± 2	0.10	0.26	3.2 ± 0.4		2		小于 130	
SN₁₀-10/300	10	600 1 000	300	145 ± 5		0.06	0.25			3		100	
SN₁₀-10/500	10	1 000		155 ± 5		0.06	0.25			3		不大于 60	
SN₁₀-10/750	10	1 250 3 000	750	155^{+5}		0.06	0.20			3		不大于 17	
SW₂-35	35	1 000 1 500	1 500	310 ± 5	38 ± 3	0.06	0.40	5 ± 0.6		2		小于 70	

续表 8-10

型号	额定电压 (kV)	额定电流 (A)	额定断流容量 (MVA)	行程 (mm)	超行程 (mm)	固有分闸时间(s)	固有合闸时间(s)	最大分闸速度 (m/s)	最大合闸速度 (m/s)	三相合闸不同期性 (mm)	三相分闸不同期性 (mm)	每相导电回路电阻 (μΩ)	备注
SW$_2$-60	60	1 000	2 500	395 ± 5	35 ± 5	0.08	0.50	$7.8^{+0.8}_{-0.3}$	3 ± 0.5	5		150	
SW$_3$-35/600	35	600	400	300 ± 10	50 ± 5	0.06	0.12	6.5 ± 0.6	$6.4^{+0.4}_{-1.9}$	6		150	
SW$_3$-35/1000	35	1 000	1 000	300 ± 10	50 ± 5	0.06	0.16	6.5 ± 0.6	$6.5^{+0.6}_{-2.5}$	6		200	
SW$_3$-110	110	1 000	3 000			小于或等于 0.07	小于或等于 0.40	6.2~7.6	不小于 2.8			160	
SW$_3$-110G	110	1 200	3 000	390 ± 10	60^{+3}_{-2}	0.07	0.4	6.7	30			180	
SW$_4$-35	35	1 200	1 000	305 ± 10	55 ± 5	0.08	0.35	5.6 ± 0.4	3.9 ± 0.4	6		180	
SW$_4$-110	110	1 000	3 500	445 ± 10	70 ± 4	0.06	0.25	5 ± 0.8		20ms	5ms	300	
SW$_4$-220	220	1 000	7 000			0.05	0.25	5 ± 0.8					
SW$_6$-110	110	1 200	3 000	390^{+10}_{-15}	60 ± 5	0.04	0.20	8 ± 1.5		15ms	6ms	180	
SW$_6$-220	220	1 200	8 000			0.04	0.20	8.5 ± 1.5				450	
SW$_7$-110	110	1 500	3 000	600^{+5}_{-15}	85_{-5}	0.04	0.20	12 ± 1.5	6.5 ± 1.0	10ms	5ms		
SW$_7$-220	220	1 500	6 000	600 ± 10	84 ± 4	0.04	0.15	15 ± 1	7 ± 1.0	15ms	5ms	小于或等于 190	
DN$_1$-10G	10	200、400、600	100	102 ± 2	12 ± 1	0.10	0.23	2.6 ± 0.4		2			超行程为实际接触行程
DN$_3$-10	10	400	200	112 ± 3	27 ± 2	0.08	0.20	—		4			

续表 8-10

型号	额定电压 (kV)	额定电流 (A)	额定断流容量 (MVA)	行程 (mm)	超行程 (mm)	固有分闸时间(s)	固有合闸时间(s)	最大分闸速度 (m/s)	最大合闸速度 (m/s)	三相合闸不同期性 (mm)	三相分闸不同期性 (mm)	每相导电回路电阻 (μΩ)	备注
DW_1-35	35	600	400	235^{+2}_{-10}	12 ± 2	0.06	0.27	2.6 ± 0.3			4	550	
DW_2-35	35	600 1 500	500 1 500	270 ± 10	16 ± 1	0.05	0.43	3.4 ± 0.4	2.5 ± 0.4		4	大于 200	
DW_4-10	10	100~400	50	90 ± 2		0.15	—				2		
DW_5^{10}-10G	10	25~200	30 50	100 ± 3	15_{-2}	—	—	1.7 ± 0.2			2		
DW_6-35	35	400	400	250 ± 5	25 ± 3	0.10	0.27	2.5 ± 0.3			2	小于 450	
DW_7-10	10	30~400	26	大于或等于 60	$8^{+1}_{-0.5}$	0.2~0.7	—	—			3		
DW_8-35	35	600、800、1000	1000	200^{+6}_{-8}	55 ± 5	0.07	0.3	大于或等于 2.7	2.7 ± 0.3		4	250	
DW_9-10	10	50~400	60	125 ± 2	20 ± 2	0.12	—	2.0 ± 0.4			2		
DW_{10}-10	10	50~400	30 50			—	—						

(2)见 SDJ249.5—88 的有关要求。

(五)操作机构和传动装置安装

(1)符合 SDJ249.5—88 中的有关要求。

(2)电动操作机构的电动绝缘应良好,电动机转向应正确。

(3)液压操作机构的安装应符合以下要求:①液压回路连接应牢固,密封良好,外观检查无渗油现象。②液压油标号应符合产品的技术规定,油箱油位应正常。③工作缸活塞杆的连动应无卡阻和跳动,其行程应符合产品的技术规定。④微动开关动作应准确可靠,电接点压力表应经校验,联动闭锁压力整定值正确。

(六)其他要求

(1)经解体检查的消弧室,组装应正确,中心孔径一致,安装位置应正确,固定牢固。

(2)提升杆及导向板应无弯曲及裂纹,绝缘漆层完好、干燥,绝缘电阻值应符合要求。

(3)缓冲器安装应符合规范 SDJ249.5—88 或产品的有关规定。

(4)断路器与电缆或软母线的连接应符合 SDJ249.5—88 中"电缆线路安装工程"及"软母线装置安装工程"的标准要求。

(5)多油断路器操作机构密封良好,油箱升降机构完好并操作灵活。

(6)断路器及操作机构的接地应牢固、可靠。

三、调整及操作试验的标准

(一)调整

1. 合格标准

(1)调试过程中发现的缺陷经处理已消除,或虽有个别微小缺陷但不影响断路器正常运行。

(2)传动机构各部间隙、转角、缓冲器行程以及触头行程、超行程、相间接触的同期性,均应在产品要求的最大允许误差范围内。

(3)符合规范 SDJ249.5—88 及产品的其他要求。

2. 优良标准

(1)调试过程中发现的个别缺陷经处理全部消除。

(2)间隙、转角、行程、同期性等实测数值均必须在产品要求的最小允许误差范围内。

(3)符合规范 SDJ249.5—88 及产品的其他要求。

(二)操作试验标准

合格标准:在额定操作电压(气压、液压)下进行分、合操作及重合闸操作各 3 次,断路器动作应正常。

优良标准:在合格的基础上,断路器在高于和低于额定操作电压下进行操作各 2 次,断路器应动作正常。

四、检验项目和标准

检查项目和质量标准见表8-11。

表 8-11　检查项目和质量标准

项次	项目	质量标准			说明
1	提升杆绝缘电阻	有机物提升杆绝缘电阻值要求： 35~110 kV，应大于 2 500 MΩ； 110~220 kV，应大于 5 000 MΩ； 330kV，应大于 10 000 MΩ			用 2 500 V 兆欧表测量
2	测量 35 kV 多油断路器介损	$\tan\delta$(%)小于或等于 5.5			20 ℃时的测量值
3	测量少油断路器泄漏电流	应小于或等于 10 µA			试验电压为直流 40 kV
4	交流耐压试验	耐压试验标准见标准 SDJ249—88 附录 1，测验应无异常			110 kV 以下断路器必须进行
△5	测量每相导电回路电阻	电阻值应符合产品技术规定			可参照标准 SDJ249—88 附录 2
△6	测量固有合闸时间和固有分闸时间	实测值应符合产品技术规定			可参照标准 SDJ249—88 附录 2
△7	测量分、合闸速度	实测值应符合产品技术规定			可参照标准 SDJ249—88 附录 2
△8	测量触头分、合闸同时性	实测值应符合设计规定；无规定时应符合下列要求： 额定电压(kV)／合闸同期误差／分闸同期误差 110~220：小于或等于 5 ms／≤10 ms 330：小于或等于 5 ms／≤3 ms			
9	测量分、合闸线圈及合闸接触器线圈的绝缘电阻及直流电阻	实测值应符合产品技术规定			
10	检查操动机构合闸接触器及分闸电磁铁的最低动作电压	应符合下列要求： 项目／最低动作电压(U_n%值)不小于／不大于 分闸电磁铁：30／65 合闸接触器：30／80(65)			括号内数值用于自动重合闸
11	测量并联电阻的阻值，均压电容器的绝缘电阻、介损值及电容量	绝缘电阻值不作规定； 在 15~35 ℃时测得的介损值 $\tan\delta$(%)应小于或等于 0.5； 电容量应不超过产品出厂值的 ±10%			
△12	绝缘油试验	应符合规范 SDJ249—88 第十七篇第十七章试验标准要求			

第八节　六氟化硫断路器安装工程检测技术

一、一般规定和要求

(1)适用于 330 kV 及以下支柱式和罐式六氟化硫(SF$_6$)断路器安装检测。

(2)零部件及配件应齐全，无锈蚀和损伤变形。

(3)绝缘元件无变形、受潮、裂纹、层间剥落或破损，绝缘应良好。

(4)瓷套表面应光滑，无裂纹、缺损，瓷套与法兰的结合面应黏接牢固、密实、平整。

(5)充有 SF_6 气体和 N_2 气体的部件，其压力值应符合产品说明书的规定。

(6)并联电阻、电容器及合闸电阻的规格应符合制造厂的规定。

(7)检验密度继电器和压力表应经校验合格。

二、检查项目和标准

(一)基础或支架

基础或支架安装的允许偏差见表 8-12。

表 8-12　基础或支架允许偏差

项次	项目	允许偏差(mm)	检验方法
1	基础中心距离及高度误差	小于或等于 ±10	用尺测量
2	预留孔或预埋铁板中心误差	小于或等于 ±10	
3	预埋螺栓中心线误差	小于或等于 ±1	

(二)断路器的组装

(1)部件编号正确，组装顺序与制造厂规定相符。

(2)断路器应固定牢固，所有螺丝均应使用力矩扳手紧固，且其紧固力矩数值应符合产品说明书规定。

(3)支柱瓷管安装的允许偏差见表 8-13。

表 8-13　支柱瓷管安装的允许偏差

项次	项目	质量要求及允许偏差	检验方法
1	同相各支柱瓷套法兰面	在同一水平面	用吊线、拉线、水平尺或钢尺测量
2	支柱中心线距离误差	小于或等于 ±2.5 mm	
3	相间中心距离误差	小于或等于 ±5 mm	
4	绝缘支柱或罐体出线套管	垂直于底架或罐体水平面	

(三)导电回路安装

(1)接触表面平整、清洁、无氧化膜，并涂有薄层复合脂，接触良好，镀银部分不应锉磨。

(2)载流部分的可挠连接不得有折损，其表面无凹陷及锈蚀。

(四)操作机构的安装

(1)固定牢固，外表清洁、完整。

(2)液压操作机构应无渗油，油位应正常，气压操作机构无漏气。

(3)各连接管路应密封良好，阀门动作应正常。

(4)油漆完整，接地良好。

另外，断路器支架接地牢固、可靠。

(五)SF₆气体的检验及充装

1. 检验

新 SF₆ 气体充装前抽样复验,抽样数量为每批罐装总瓶数的 3/10,SF₆气体的质量标准应符合表 8-14 的规定。

表 8-14 SF₆ 气体标准

项次	项目	指标	说明
1	空气(N_2+O_2)	小于或等于 0.05%	(1)各指标数均以重量比计;
2	四氯化碳	小于或等于 0.05%	
3	酸度(以 FH 计)	小于或等于 0.3×10^{-6}	(2)该表依据为原化工、
4	可水解氧化物(以 FH 计)	小于或等于 1.0×10^{-6}	机械、水电和冶金四部制
5	矿物油	小于或等于 10×10^{-6}	定的(SF₆气体技术条件)
6	纯度	小于或等于 99.8%	
7	生物毒性试验	无毒	
8	水分	小于或等于 8×10^{-6}	

2. 充装

(1)气体充入前应检查充气设备及充气管路,需洁净无水分、无油污,断路器内部应进行真空处理。

(2)气体充入后,测定 SF 断路器的微水含量和泄漏率,应达到下列标准:断路器气管微水含量,应小于或等于 150×10^{-6} (体积比);其他气室微水含量,应小于或等于 300×10^{-6} (体积比);年泄漏率应小于或等于 1%(每个气室)。

三、检验项目和标准

(1)用 2 500 V 兆欧表测量绝缘操作杆的绝缘电阻,其要求见表 8-15。

表 8-15 绝缘电阻值

断路器电压等级(kV)	绝缘电阻(MΩ)
35	大于或等于 3 000
63~220	大于或等于 6 000
330	大于或等于 10 000

(2)测量每相导电回路的电阻,应符合产品要求。

(3)工频耐压试验,按出厂产品试验电压的 80%进行(110 kV 及以上断路器,只对罐式结构的断路器进行工频耐压试验)耐压试验,应无异常。

(4)测量灭弧室的并联电阻和均压电容器的电容量,介损正切值 $\pi g \delta$ (%)应符合下列要求:①并联电阻值应符合产品要求;②电容器的电容量不超过产品出厂值的 ± 5%,介损正切值 $\pi g \delta$ (%)应符合制造厂规定。

(5)测量断路器的固有分、合闸时间,主、副触头分、合闸的同时性及主、副触头的配合时间,以上各实测值均应符合产品要求。

(6)测量断路器合闸电阻投入时间及其电阻值,实测数值应符合产品要求。

(7)测量断路器分、合闸电磁线圈的绝缘电阻及直流电阻,绝缘电阻值应大于或等于

10 MΩ，直流电阻值应符合产品要求。

四、操作试验及要求

试验项目按规范 SDJ249.5—88 "空气断路器"的操作试验项目进行的合格标准。

(一)合格标准

(1)连锁和闭锁装置动作正确、可靠。

(2)分、合闸位置指示器动作可靠、指示正确。

(3)在试验过程中发现的影响正确操作的缺陷，经处理后消除，断路器动作正常。

(二)优良标准

(1)各次操作中，断路器均应动作正常、平稳、无跳动。

(2)其他各项要求同合格标准。

第九节　隔离开关安装工程检测技术

一、一般规定和要求

(1)适用于额定电压为 35~330 kV 户外式隔离开关安装质量检验。工接地开关按规范 SDJ249.5—88 的有关规定检验。

(2)具有室气操动机构的隔离开关，其空气管道及空气操动机构的安装尚应达到规范 SDJ249.5—88 的有关规定。

二、检查项目和标准

(一)外观检查

(1)符合 SDJ249.5—88 的有关要求。

(2)液压操作机构的油位应正常，无渗油现象。气压操作机构密封应良好，无漏气现象。

(二)开关组装

开关组装要求见表 8-16。

表 8-16　开关组装质量要求

项次	项目	允许误差	说明
1	相间距离允许误差	35 kV 开关应小于 ±5，110 kV 及以上开关应小于 ±10	
2	支柱绝缘子与底座平面	应垂直且固定牢固	V 型开关除外
3	同一绝缘子支柱的各绝缘子中心线	应在同一中心线上	2、3、4 项如不符合要求可调整，调整结果应保证动、静触头能相互对准，接触良好
4	同相各绝缘子支柱的中心线	应在同一垂直平面内	
5	均压环安装	应牢固平稳	

(三)导电部分

(1)接触表面应平整，无氧化膜，并涂以中性凡士林。

(2)触头应接触紧密，两侧压力均匀。

(3)检查触头及开关与母线的接触面(用 0.05 mm × 10 mm 塞尺)应符合以下要求：线接触，塞入深度应小于 0.05 mm；面接触，接触面宽度在 50 mm 及以下，塞入深度应小于 4 mm，接触面宽度在 60 mm 以上，塞入深度小于 6 mm。

(四)三相联动开关

三相触头接触的前后差值应符合产品的技术规定，无规定时则应符合以下条件：35 kV 开关，其差值应小于或等于 5 mm；110 kV 开关，其差值应小于或等于 10 mm；220~330 kV 开关，其差值应小于或等于 20 mm。

(五)开关与母线的连接

开关与母线的连接要求见表 8-17。

表 8-17　母线连接要求

项次	项目	允许偏差
1	母线弛度与设计值的允许偏差	+5%~2.5%同档距内三相母线弛度应一致
2	母线跨接线和引下线的电气距离	应符合室外配电装置的安全距离，各相引下线弧度允许偏差应小于 10%

另外，操动机构、传动装置、辅助切换开关及闭锁装置的安装与调整，均应符合规范 SDJ249.5—88 的有关规定。其质量应通过隔离开关操作试验检查。

开关底座及操动机构接地应牢固、可靠。

三、检验项目和质量标准

(1)绝缘耐压试验电压标准见表 8-18，试验中无异常。

表 8-18　绝缘耐压试验电压标准

		额定电压(kV)	0.4以下	3	6	10	15	20	35	53
		最高工作电压(kV)		3.5	6.9	11.5	17.5	23.0	40.5	69.0
交流耐压试验电压(有效值)(kV)	电力变压器	出厂	5	18	25	35	45	55	85	140
		交接	4	15	21	30	38	47	72	120
	电压互感器	出厂		18	23	30	40	50	80	140
		交接		16	21	27	36	45	72	126
	断路器 电流互感器	出厂		18	23	30	40	50	80	140
		交接		16	21	27	36	45	72	126
	隔离开关 干式电抗器	出厂		18	23	30	40	50	80	140
		交接		18	23	30	40	50	80	140
	支持绝缘子和套管 纯瓷和纯瓷充油绝缘	出厂		18	23	30	40	50	80	140
		交接		18	23	30	40	50	80	140
	固体有机绝缘	出厂		18	23	30	40	50	80	140
		交接		16	21	27	36	45	72	126
	干式变压器	出厂	3	10	20	28	38	50	70	
		交接	2.0	8.5	16.0	22.4	30	40	56	

注：1.出厂试验电压根据 GB311.1—83，其适用范围也根据 GB311.1—83 的规定；
2.干式变压器出厂试验电压根据 GB6450—86；
3.《电气设备交接试验标准》第 1.0.3 条中规定，110 kV 及以上的电气设备，一般可不进行交流耐压试验，本表中对 110 kV 以上的试验电压标准未列入。

(2)测量操动机构线圈的最低动作电压,其电压值应为额定操作电压的 30% ~ 80%。

四、隔离开关动作情况检查

操动试验项目及操作要求符合规范 SDJ249—88 中的有关规定。

(一)合格标准

(1)操作过程中发现的异常情况,经处理后消除并在额定操作电压、额定操动气压(或液压)及最低操动气压(或液压)下,开关均应动作正常。

(2)检查开关合闸后的触点接触紧密性及分闸时的张开角度或距离等技术指标,均应符合产品的技术规定。

(3)检查操动机构、传动装置、辅助切换开关及闭锁装置,均应安装牢固、动作灵活可靠。

(4)具有灭弧触头的隔离开关,灭弧触头和主触头的接触先后顺序应符合要求。

(二)优良标准

(1)在规范规定的所有操动试验项目及各次操作过程中,开关应动作正常可靠。

(2)其他各项要求同合格标准。

第十节　户外式避雷器安装工程检测技术

一、一般规定和要求

(1)适用于 35 ~ 330 kV 户外式避雷器和管型避雷器安装检验。

(2)所安装的避雷器应为原装件。

二、检查项目和标准

(一)阀型避雷器的外观检查

(1)外部应完整、无缺陷,封口处密封应良好,法兰连接处应无缝隙。

(2)瓷件应无裂纹、破损,瓷套与法兰间的结合应牢固。

(3)组合元件应经试验合格,底座和拉紧绝缘子的绝缘应良好。

(二)阀型避雷器的安装

(1)固定牢固、垂直,每个元件的中心线与安装中心线的垂直偏差应小于 1.5% × 元件高度。

(2)拉紧绝缘子串必须紧固,弹簧应伸缩自如,同相各绝缘子串的拉力应均匀。

(3)均压环安装应水平。

(4)避雷器各连接处的接触面应去除氧化膜、涂凡士林或复合脂并应接触良好。

(5)磁吹阀型避雷器组装的上下节位置应与制造厂产品出厂标志编号相符。

(6)放电记录应密封良好、动作可靠,安装位置应一致。

(7)避雷器的油漆完整、相色正确、接地良好。

(三)管型避雷器安装

(1)避雷器及其支架须安装牢固，并应便于观察和检修。

(2)倾斜安装的避雷器其轴线与水平方向的夹角，普通型应大于或等于 15°，无续流型应大于或等于 45°。

(3)避雷器安装方位应符合规范 SDJ249.5—88 的有关规定。

(4)无续流避雷器的高压引线与被保护设备的连续长度应符合产品技术规定。

(5)隔离间隙的安装应符合以下要求：①间隙轴线与避雷器管体轴线的夹角应大于或等于 45°；②安装必须牢固，其间隙距离应符合设计或产品的技术规定。

(6)避雷器应油漆完整、相色正确、接地良好。

(四)管型避雷器外观检查

(1)喷口处的灭弧管内径应符合产品的技术规定。

(2)绝缘管壁应无破损、裂痕，漆膜无剥落，管口无堵塞。

(3)配件应齐全。

三、检验项目和标准及检验方法

(1)用 500 V 兆欧表测量绝缘电阻，阻值不作规定。

(2)测量电导(泄漏)电流，并检查组合元件的非线性系数，应符合下列要求：①20℃时电导(泄漏)电流试验标准见表 8-19，并符合产品规定。②同一相内串联组合元件的非线性系数差值应小于或等于 0.04。③检查放电记录器动作情况及基座绝缘动作应可靠，基座绝缘应良好，绝缘电阻值不作规定。

表 8-19　FCZ 型避雷器的电导电流值

型号	FCZ₁			FCZ₂		FCZ₃				
	110 J	220 J	330 J	110	220	35	35 L	110	110 J	220 J
试验电压 (kV)	96	96	160	96	96	50	50	140	110	110
电异电流 (μA)	500~700	500~700	500~700	400~600	400~600	250~400	250~400	250~400	250~400	250~400

第十一节　充油电缆线路安装工程的检测要点

一、一般要求与规定

(1)适用于 330 kV 及以下自容式充油电缆电路安装工程检测。

(2)电缆附件及材料、工器具的型号、规格、数量应符合设计和安装要求。

(3)电缆槽、隧道、竖井、电缆终端室等土建工程及其中的防火、灭火设施应符合设计规定，并需经验收质量符合要求。

二、检查项目和质量标准

(一)电缆支架安装

(1)符合 DJ249.5—98 规范的有关要求。

(2)托辊及特殊支架的尺寸、间距应满足电缆弯曲半径的要求。

(二)电缆敷设前的检查

(1)电缆规格、型号应符合设计要求。

(2)电缆外观完好，无机械损伤和渗漏油现象。

(三)电缆敷设

(1)符合《充油高压电缆施工工程规程》及设计图纸的要求。

(2)支架上电缆的敷设应符合以下要求：①电缆相序及长度应正确、排列整齐，不得交叉。②固定方式应符合设计要求，固定牢固，电缆在卡子中不应倾斜，卡子应由非磁性材料制成。③电缆弯曲半径应符合要求(敷设时电缆最小弯曲半径应大于或等于 25 D，D 为电缆外径)。

(3)管道内电缆的敷设应符合以下要求：①单芯交流电缆不得采用钢制保护管；②管道内径应大于或等于 1.5 倍的电缆外径，排管内径应大于 100 mm，且管内壁应光滑、无毛刺。③保护管连接处应平滑、严密、高低一致。

(4)沟槽内电缆的敷设应符合以下要求：①槽底填砂厚度为槽深的 1/3；②沟槽上盖板应完整，接头标志完整正确。

(5)直埋电缆的敷设应符合以下要求：①电缆埋置深度应大于或等于 1 m；②电缆上、下铺设的软土或砂层厚度应大于 100 mm，其上面应加保护盖板；③电缆的方位标志齐全。

(四)电缆终端头和电缆接头制作

1. 制作前的检查

(1)油样要经试验合格，所用绝缘材料应符合要求。

(2)瓷套管、环氧套应清洁、完好无损。

(3)电缆长度符合要求并有适当余量。电缆弯曲半径应大于或等于 20 D(D 为电缆外径)。

2. 制作质量的检查

(1)制作工艺必须符合《充油高压电缆施工工艺规程》和油务及真空工艺规程的要求。

(2)制作时间周围空气湿度应低于 70%，并有防尘和防污措施。

(3)终端头和接头铅护套、绝缘纸剥切尺寸、绕色尺寸均应符合图纸和工艺要求；绝缘纸带搭叠应均匀，不应有折皱或局部松软点。

(4)出线杆、压接管的压接尺寸应符合图纸和工艺要求，压接应牢固，压接表面光滑、无毛刺。

(5)铅封应密实、无气孔。

(6)瓷套法兰螺栓紧固、密封良好。

(五)供油系统安装

(1)供油系统安装方式应符合设计要求,各连接部位应连接牢固、无渗漏油现象,各阀门开闭灵活、无渗漏油的现象。

(2)真空压力表及电接点压力表应固定牢固、动作灵敏,整定值符合要求。

(3)压油箱油压应经整定并应保证电缆在规定的油压范围内运行。

(六)电缆金属保护套的接地

电缆金属保护套的接地方式应符合设计规定,放电间隙或电阻器的技术参数值应符合设计要求。

三、检验项目质量标准

(一)油样电气性能试验

(1)室温下测试工频击穿电压应不大于 50 kV/2.5 mm。

(2)测量油的介损正切值(tanδ),当油温为 100℃±1℃时的数值:额定电压为 110 V、220 kV 者,应小于 0.005;额定电压为 330 kV 者,应小于 0.004。

(二)外护层试验

(1)铅护层与加强铜带之间的绝缘电阻值为 3.5 MΩ。

(2)金属护套与电缆外护层表面间,加 10 kV 直流耐压 1 min,护层绝缘应不击穿。

(三)电缆导体直流电阻试验

用电桥法或压降法测量,直流电阻要求见表 8-20 的规定。

表 8-20　直流电阻值

项次	标称截面(mm^2)	直流电阻(Ω/km)	项次	标称截面(mm^2)	直流电阻(Ω/km)
1	120	0.15	6	400	0.046 1
2	150	0.122	7	500(600)	0.366 6(0.029)
3	185	0.0972	8	630	0.028 3
4	240(270)	0.074(0.066 8)	9	800(900)	0.022 1(0.019 6)
5	300	0.059	10	1000	0.017 6

(四)直流耐压试验

直流耐压试验电压见表 8-21,耐压时间 15 min 绝缘应不击穿。

表 8-21　直流耐压试验电压值

额定电压(kV)		直流试验电压 (kV)	额定电压(kV)		直流试验电压 (kV)
U	U_0		U	U_0	
110	64	290	330	200	700
220	130	520			

四、电缆投入运行前质量检查

(1)电缆排列应整齐,无机械损伤,无渗漏油现象。

(2)标志牌应装设齐全、正确、清晰,终端、接头及其支架的金属部位的油漆应完好。

(3)电缆终端头各相位应与电力系统的相位一致。相色应正确。

(4)供油系统及测温装置的安装应符合图纸要求,测温装置接线正确,安装应牢固。无渗漏油现象,压力油箱及表计的整定值应符合要求,表计动作灵敏可靠。

(5)电缆金属护套的接地方式符合设计规定,经放电间隙或电阻器接地的参数值,应符合设计要求。

(6)电缆沟、隧道内应无杂物,盖板齐全。

五、电缆投入运行中质量检查

(1)电缆带电后,其终端上部应无电晕、放电现象,电缆本体、终端、接头等处应无渗油现象。

(2)电缆带负荷后,其压力油箱的油压变化不应超过电缆允许的油压范围。

(3)测量电缆带 25%、50%、75%、100%额定负荷时的电缆导体温度应无异常。

(4)测量电缆护套的感应电压和接地线电流应符合要求。

(5)在电缆投入运行前和投入运行中的检查,发现异常(或缺陷)经处理达到电缆运行规程要求。或在电缆投入运行中检查未发现异常,符合电缆运行规程要求。

(6)在交接验收过程中,全部电缆工程的安装(包括隐蔽工程)均须达到规范SDJ249.5—88 中的有关验收要求。

参 考 文 献

[1] 俞衍升，郑贤，张国良，等. 水利技术标准汇编(水利水电卷). 北京：中国水利水电出版社, 2002

[2] 李先镇. 水利水电工程质量控制要点. 北京：中国水利水电出版社, 1999

[3] 四川省水利电力厅. 小型电站施工技术规范(SL172—96). 北京：中国水利水电出版社，1996

[4] 水利部建设与管理司，水利部水利工程质量监督总站. 水利水电工程施工质量评定表填表说明与示例(试行). 北京：中国水利水电出版社，2003

[5] 胡晓. 水利水电工程施工质量验收评定表格应用手册. 北京：中软电子出版社，2003

[6] 中国电力企业联合会标准化部. 机电及自动化. 见：电力工业标准汇编(水电卷). 北京：中国水利水电出版社，1995

参考文献

[1] ...